O'R CYSGODION

O'r Cysgodion

Byron Evans

Argraffiad Cyntaf—1997

ISBN 1 85902 546 3

Dymuna'r cyhoeddwyr gydnabod cymorth
Adrannau Cyngor Llyfrau Cymru.

Argraffwyd gan
Wasg Gomer, Llandysul, Ceredigion

Cyflwynaf y gyfrol hon i bawb
a ddaliodd fy llaw yn y t'wyllwch.

Cynnwys

. . . Gweld y T'wyllwch

Mae'n rhaid mynd yn ôl ymhell cyn 1994 i ganfod unrhyw fath o batrwm. Mae'r dyddiau a'r blynyddoedd yn rhedeg i'w gilydd, heb ffin na therfyn pendant.

Y gwir yw fy mod yn dioddef o ddau afiechyd . . . ac wrth edrych dros ysgwydd y blynyddoedd sylweddolaf i mi fod yn brae iddynt o'r crud. ISELDER YSBRYD ac ALCOHOLIAETH: enwau cemegol, cyfarwydd, di-dramgwydd a diniwed, ar ddau gythraul barus a hyll. Ac yn anffodus yr wyf fi ymhlith y bobl hynny sydd, oherwydd rhyw ffactor corfforol, neu emosiynol, neu amgylchyddol, yn 'tueddu' i fod yn ysglyfaeth yng nghrafangau'r ddau ellyll. Anodd i rywun a gafodd fywyd 'normal' amgyffred yr hyn sy'n digwydd i'r sawl sy'n dioddef o'r afiechydon hyn.

Fe ddylwn fod wedi gweld yr arwyddion. Roeddent yn glir erioed, nawr fy mod yn eu gweld. Rwy'n berson sydd â rhywbeth ynof sydd yn hawdd ei gaethiwo—yn bersonoliaeth 'adictif'. Bûm yn gaeth i sigarennau, i deithio, i weithio, i ofidio; bûm yn gaeth i'r felan dduaf ac i alcohol. A gwn yn dda, os nad ymroaf i weithio rhaglen newydd f'adferiad a'm bywyd newydd, y gallaf fod eto yn eu crafanc dur.

Bu adegau yn fy mywyd pan deimlais iselder ysbryd llethol, heb archwaeth gwaith na chwarae, llafur na hamdden. I'r rhan fwyaf o ddioddefwyr, y bore yw'r adeg anoddaf o'r dydd ac fe ddaw pethau'n well a goleuach fel yr â'r dydd rhagddo. Ond yn fy achos i, roedd y boreau'n iawn, fel arfer. Ond ar ôl canol dydd, nid oedd dydd. Deuai caddug i'w guddio, gan ddwyn arswyd ac ofn a'r pryder affwysol sy'n gwasgu'r anadl o'r corff. Yn raddol, fe dyfodd y patrwm o geisio anghofio gwae dyddiau felly gyda chymorth cyffur . . . a'r cyffur hawsaf ei gael, a'r mwyaf cyfleus a derbyniol i'n cymdeithas ni, a'r un y mae modd ei gael yn hwylus mewn unrhyw siop ar gornel stryd . . . Alcohol.

Fe lwyddodd y dacteg, dros dro. Ond buan yr aeth y canlyniadau—euogrwydd a chywilydd—yn anos eu cario na'r gofid dienw cyntaf. Ac felly dyna gychwyn disgyn y grisiau tro i waelod y dyffryn tywyll.

Mae'n hawdd i mi, wrth edrych yn ôl, gofio gweld y gwae a'r gofid a'r pryder di-ddeall yn wyneb câr a chyfaill, a'r gofid cariadus yn creithio wyneb Anne, fy mhriod . . . Wrth gwrs ei bod hi'n hawdd i mi weld y cyfan yn awr . . . yr arwyddion, a'r effeithiau. Roedd hadau'r ffrwyth a aeddfedodd yn ddiweddar wedi eu hau mewn tir da a pharod ers blynyddoedd.

Roedd gen i bopeth i fyw er ei fwyn. Sawl un a ofynnodd, gyda diffyg deall y sawl na fu ar y grisiau sy'n disgyn i'r tywyllwch: 'Beth sydd arnat ti? Ystyria beth sydd gennyt i'w golli. Mae gyda ti bopeth!' Nid oeddynt ymhell o'u lle. Ac eto, roeddwn mor llwyr o dan reolaeth grym cryfach na mi, fel nad oedd synnwyr cyffredin yn golygu dim.

Fe gefais fywyd da. Fe'm ganed i deuluoedd mawr ar ochr Nhad a Mam, a chefais fagwraeth ddiogel, nad oedd na hapus nac anhapus. Roeddwn wedi'm tynghedu i lwyddo o'm plentyndod. Ac fe gefais lwyddiant—beth bynnag yw ystyr y gair hwnnw—er na allaf ddweud i mi erioed ei fwynhau. Llwyddais yn academaidd, ac fe fu'm gyrfa'n un o ddringo'r grisiau, a chael boddhad wrth wneud hynny, a phrofi llawer bendith fawr yn fy mherthynas â'r bobl dda y croesodd fy llwybrau i eu llwybrau hwy . . .

Nid fy mod erioed wedi magu'r ddawn o 'feithrin'

cyfeillgarwch, ond gallaf hawlio nifer fawr o 'gydnabod' y mae gen i olwg mawr arnynt, a llawer o ddyled iddynt. (Yn rhyfedd iawn fe fyddwn wedi cael peth felly yn anodd iawn i'w ddweud, cyn nawr.) Cefais rieni digon da eu gofal ohonof, er bod Nhad yn ddyn eithafol o brysur (roedd yn rhaid iddo fod, i godi pedwar ohonom yng nghyfnod y rhyfel a chwedyn), a Mam yn gaeth i'w gofal o'm hewyrth a'm nain orweiddiog, a'r babi bach o chwaer annwyl a ddaeth i'n bywydau, a minnau'n teimlo embaras fy mhedair blwyddyn ar ddeg pan aned hi. Nid oeddynt, fwy nag unrhyw rieni, yn berffaith, ond gwnaethant eu gorau. Cefais frawd a dwy chwaer, bwndel o gefnderoedd a chyfnitheroedd, ewythredd a modrybedd, a fu'n haelach eu clod i mi, a mwy eu gofal ohonof, nag a fûm i iddynt hwy, er fy nghywilydd. Pwy ŵyr nad oedd hynny'n rhan o'm methiant? Gwn i mi, yng nghyfnod fy nisgyn i'r tywyllwch, gau llawer drws cymorth a chonsýrn a agorwyd ganddynt hwy a chyfeillion, a chodi mur i'm cadw rhag cariad diffuant na allwn ddygymod ag ef.

Magwraeth grefyddol dda a thraddodiadol a gefais, a honno'n tynnu ar waddol yr hen ddiwylliant pentrefol glofaol Cymreig, ar Graig Cefn Parc. Teimlais hefyd effaith ddengar y diwylliant arall dosbarth canol Seisnig hwnnw a gyffyrddodd â ni oherwydd swydd uchel Nhad gydag ICI, a'r bobl o 'fyd arall' a ddaeth i'm bywyd.

Cefais briodas ddedwydd a hapusach na'm haeddiant, ac y mae'r diolch am hynny i ofal a chariad amyneddgar Anne. Ganwyd i ni ddau fab, Geraint Wyn ac Owain Llyr, a dyfodd yn addurn i ni gan ennyn ein balchder. Ym mhriodas y ddau, i Helen a Lona, fe gawsom ein hanrhydeddu ymhellach, ac y mae hynny'n cyfannu cylch ein teulu bach clòs ni. Mae fy nyled iddynt yn fwy na geiriau.

Bu'm gyrfa academaidd yn ddigon teilwng, er iddi ddioddef gan effeithiau iselder ysbryd, ymhell yn ôl yn nyddiau Coleg Bangor. Ond gwnaed i fyny am hynny a llwyddais i ddysgu pob crefft newydd y gofynnid i mi ei gwneud er mwyn cyflawni tasgau newydd. Yr oedd gwneud y 'newydd' bob amser yn dda gennyf. Cadwai fy meddwl rhag undonedd y cyfarwydd.

Wedi gwasanaethu tri o gylchoedd fel gweinidog gyda'r Bedyddwyr, gan elwa'n fawr ar gyfeillgarwch a nawdd gynnes pobl y Coelbren a Nantyffin, a chroeso gofalus, diddig Blaenconin, ac wedyn brwdfrydedd 'gwên-i-gyd' Aberduar, symudais i weithio i Gymdeithas y Beibl, gan godi i frig y Gymdeithas honno, yn un o'i phrif swyddogion. Wedi hynny, cael fy ngalw, a llithro'n naturiol, rywsut, i fugeilio eglwys Castle Street, Llundain a meddiannu ei phulpud gwiw, gan ddilyn ôl traed cyfeillion ac arwyr. Yr oedd fy ffiol yn llawn.

Buan y daeth cyfle i mi wasanaethu'm henwad ar bapur ac o bulpud. Daeth cyfle hefyd i feddwl am ddyfodol y dystiolaeth Gristnogol Gymreig yn Llundain, a theimlad rhyfedd o anturus oedd i eglwys Bresbyteraidd 'Seion', Ealing Green a Castle Street, fodloni dod at ei gilydd o dan fy ngweinidogaeth, a chael bendith yr Hen Gorff a'r Bedyddwyr ar y fenter ryfeddol hon o ffydd.

Eto, yr oeddwn yn ymwybodol o ryw anesmwythyd llwyd yn tanlinellu'r cyfan, a thrigo mewn rhyw fyd anfodlon a wnawn. Er bod rhan ohonof ar ben ei ddigon, yr oedd rhyw ran a wthiwn i lawr i waelod f'ymwybod, yn edrych i'r t'wyllwch. Ar y cyfan, er hynny, yr oedd llwybr gweddill fy mywyd yn edrych yn llyfn a gweddol olau.

Mynd a dod a wnâi'r ddau erlidiwr, yn gryfach bob

tro, a daeth dyddiau yr oedd eu gafael yn dynnach nag erioed. Er ceisio dianc, y tro hwn ni allwn. Ac ni fynnwn ddianc, ychwaith.

Rhaid troi i fyd y dyddiadur. A chystal cyfaddef nad hoff gennyf hynny. Mae cronicl moel ffeithiau ar bapur yn dyfnhau'r düwch, ac yn f'atgoffa o ffeithiau y byddai'n dda gennyf pe na baent. Ond rhaid yw eu hwynebu, er mwyn deall y t'wyllwch. (Cofiaf yn dda am Percy Roberts, fy athro hanes yn ysgol Pontardawe, yn dweud droeon nad yw hanes yn dibynnu ar ddyddiadau; 'cyn belled â dy fod ti'n deall yr achos a'r effaith'. A chofiaf Eic Davies yn yr hen ystafell fach a'i draed ar y bwrdd, a'i geg yn llawn gyda'r bibell anniffodd: 'Paid â becso pryd . . . hola pam, ac i beth.')

Rywbryd yn 1988/9 y dechreuodd y crafangau dynhau, a'r cyflwr yn troi'n argyfwng. Am wn i nad oedd a fynno euogrwydd â'r peth, er fy mod lawer tro wedi methu gwahaniaethu rhwng 'euogrwydd' a 'chywilydd'.

Bu farw fy modryb a Nhad a Mam o fewn naw mis i'w gilydd. Bu'r tri'n cyd-fyw ers tro. Symudodd modryb i fyw at Nhad a Mam, gan i afiechyd hir fy nhad fynd yn ormod i nyrsio cyson gofalus Mam, nes effeithio ar ei hiechyd hithau. Symudodd Anti Hannah Mary i 'ofalu' amdanynt, er ei bod rai blynyddoedd yn hŷn na'r ddau, ac ymhell o fod yn iach ei hunan. Ond nid oedd symud ar yr un ohonynt o'r hen aelwyd, er mor drafferthus y tŷ, ac er mor anghyfleus y gymdogaeth i'r sawl na feddai gar.

Bu farw Anti Hannah ym Medi 1988. Bûm yn bwrw'r Sul gyda hi, a Mam a Nhad mewn 'cartref-gofal-dros-dro' er mwyn iddi hi gael gorffwys. Cawsom amser da, a llwyddais i gael perswâd arni i adael i mi drefnu peth ar ei phapurau a'u 'busnes', chwedl hithau. Dychwelais adref yn fodlon, a hithau'n ddedwydd. Ond drannoeth cefais alwad ffôn yn dweud iddi farw y noson honno, ar ei phen ei hunan yn y tŷ. A daeth y cwestiynau euog: 'Pam nad arhosaist ti un dydd arall? Pam nad . . .? Beth petai . . .?' Cwestiynau ofer bob un, ond real eu gafael a'u dychryn.

Trodd y flwyddyn, a daeth Ebrill. A minnau'n dychwelyd o gyfarfod yn y ddinas, trawyd fi (yn ddamweiniol) nes imi syrthio ar risiau concrid stesion Surbiton. Torrwyd fy nghoes yn weddol lletchwith, ac i'r ysbyty â mi tua chanol nos, a chael llawdriniaeth. (Pwy ŵyr nad oedd y gwydraid neu ddau o win wedi ychwanegu at debygolrwydd y cwymp?)

Trannoeth, daeth Anne i'm gweld, a gwyddwn wrth ei gwedd fod ganddi ofid a galar. Bu farw Nhad. Buom yn gweddïo ar iddo gael marw ar hyd blynyddoedd olaf ei afiechyd a barodd dros dair blynedd ar ddeg. A dyma fe'n marw'n awr. Beth gododd ym mhen y Bod Mawr? Onid oedd synnwyr cyffredin yn y Nefoedd? Sut fedrai'm teulu ddod i ben hebddof i? Oherwydd fi oedd yr un a drefnai ac a wnâi, ar adegau fel hyn. Fi oedd y graig gadarn safadwy, ddiemosiwn. Ac ni allwn fod gyda hwy, ac nid oeddwn gydag ef pan groesodd yr hen afon ddofn, ychwaith. A daeth yr euogrwydd yn donnau eto. Trwy gymorth Anne, llwyddais i fynd i'r angladd, rhwng cwsg ac effro, heb alar na dagrau, ac fe fu'n rhaid cael cymorth yr hen elyn ar dro. Nid oes gennyf ond rhith o gof am neb na dim.

Ymhen mis, treuliodd Anne a minnau rai dyddiau gyda Mam, a minnau'n cyflawni hen addewid i bregethu mewn Cymanfa yn y 'Pwll', Llanelli, ar waetha'r ffyn baglau a'r plastr! Cafwyd amser diddan, a Mam yn weddol hwylus. Cefais gyfle i osod rhyw siâp a threfn ar bethau a chlymu pen mwdwl 'busnes' Anti Hannah Mary. Wrth i ni baratoi i ddychwelyd i Lundain, a boi'r plastr yn disgwyl amdanaf, cymerwyd Mam yn sâl. Doedd fawr o ddim yn anghyffredin yn hynny. Fe gymerid Mam yn sâl bob tro y dychwelem. Ond roedd pethau'n edrych yn wahanol y tro hwn. Galwyd meddyg, ac fe'i cludwyd i'r ysbyty. Gwrando yno ar gyngor y meddyg, a hwnnw'n dweud nad oedd dim i boeni yn ei gylch ac y gallem ddychwelyd yn fodlon. Felly y bu. Y noson honno daeth galwad ffôn yn dweud y byddai'n well i ni ei throi hi am ysbyty Treforus, gan na ddisgwylid i Mam fyw am fwy na rhyw ddeuddeg awr. I'r modur eto, a gallu Anne wrth yr olwyn, wrth iddi dorri mwy o reolau'r ffordd fawr nag y caraf feddwl amdanynt, yn peri inni gyrraedd erchwyn y gwely i weld Mam yn llythrennol dynnu ei hanadl olaf. Dim gair, na gwên, na sylw.

Daeth y tonnau o euogrwydd eto i olchi trosof, a'r un cwestiynau rhwystredig yn eu llif. Aeth yr angladd heibio, heb i mi ymdeimlo ag unrhyw alar real. Llwyddais erioed i gau teimladau felly allan o'm meddwl, gan eu gwthio'n ddwfn i'm hisymwybod. Dyna, i mi, yr unig ffordd y gallwn fel gweinidog a chanddo ofal am eneidiau a gofidiau dyfnaf eneidiau eraill, ddelio'n gyfrifol â galar a gwae, ac â'r 'angladdau anodd' . . . angladdau ffrindiau, a theuluoedd. Cau fy nheimladau mewn arch o allanolrwydd dibynadwy, saff, diemosiwn. Ynfydrwydd llwyr!

Cofiaf i mi ei chael yn anodd cadw fy nhymer dan reolaeth, wrth drafod gyda'r teulu sut i drefnu 'pethau' Nhad a Mam. A chofiaf gymryd penderfyniad hurt, ond cwbwl resymol ar y pryd, i gadw'r cysylltiad â'r teulu, yn y dyfodol, i ddim ond pethau gwir 'angenrheidiol'. Mae'n rhyfedd iddynt barhau mor rasol tuag ataf.

Yr oedd gennyf gysur cwmni a chariad Anne, a oedd, os rhywbeth, yn nes at fy rhieni nag oeddwn i, a chysur ei thad a'i mam hithau hefyd. Ac ymhen ychydig fisoedd eto bu farw Agnes, mam Anne, yn erchyll o sydyn. A chystal cyfaddef nad oeddwn i'n dda i ddim i'm priod nac i'w theulu, a gafael y felan feddw yn dynn am fy ngwddf. Ac ni thâl disgrifio'r cywilydd euog a deimlaf am i mi adael Anne i lawr, a hithau mor gadarn ei chariad tuag ataf fi. Pan oedd fy angen i fwyaf arni hi, nid oeddwn yn ddigonol. Ond y mae un digwyddiad cyn hynny sy'n allwedd i'r hyn sy'n dilyn. Gorffennaf 13eg oedd hi. Treuliais y dydd yn ymweld. Yr oedd yn boeth, yn ofnadwy o boeth. Bu'n brynhawn hir, a llawer o ofidiau yn cymylu fy meddwl . . . a . . . do . . . fe gymerais ddiod neu ddau, neu dri, i leddfu ei boenau. Ar fy ffordd adref, cefais ddamwain—gweddol ddidramgwydd yn wir—ond fe'm arestiwyd. Profiad erchyll yw bod mewn cell. Mwy erchyll nag a feddylia neb na fu mewn cell gorsaf heddlu erioed. Yn waeth na hynny, daeth yr euogrwydd eto, a'r gydwybod ddrwg. Sut medrwn i wynebu Anne? . . . a'r bechgyn? . . . a'm haelodau?

Wedi oriau hir, fe'm rhyddhawyd, ac fe gerddais ryw chwarter y ffordd adref, yn hanner meddw, hanner sobr . . . ac fe gerddais i mewn i'r Tafwys . . . gan gwbl ddisgwyl a gobeithio na ddown byth i'r lan. Ond cofiodd fy nghorff y gallai nofio. Daeth Anne ac Owain i'r ysbyty i'm gweld, cyn fy nghludo'n ôl i aden Seiciatrig Ysbyty Kingston. A dyna'r tro cyntaf, ond nid yr olaf, i mi weld yr olwg dosturiol, di-ddeall: 'Beth fedra i ddweud? . . . Beth arall alla i *wneud*?' yn llygaid fy ngwraig.

Do, fe gefais gymorth cwnselwyr, ond ni chafodd yr un chwarae teg gennyf. Fe fûm yn delio â phroblemau pobl mewn trafferthion, ac adwaenwn y geiriau a'r patrymau . . . ac fe fûm yn euog o redeg o flaen fy nghwnselwyr, a gwneud cam â hwy.

Dyma ddechrau cyfnod o ryw ddwy neu dair blynedd heb y ddiod, ond nid heb awydd amdano. (Cyflwr y mae'r arbenigwyr yn ei alw'n alcoholiaeth sych, oherwydd ni ddiflannodd y cyflwr emosiynol a meddyliol a'm gwnaeth yn ddibynnol ar alcohol.) Archwyd i mi gymryd pob math o gyffuriau i'm cynorthwyo, ond buan y gafaelodd y rheini ynof, a dyna gaethiwed i ddau beth, cyffuriau prescripsiwn ac alcohol, a'r gymysgedd yn dyfnhau'r iselder yn hytrach na'i wella. Llyncais Prozac a Temazepan, Lithium, Lustral, Codeine . . . Delio â'r iselder oedd yr amcan, ac yr oeddwn yn falch fod rhywun yn ceisio fy helpu. Ond nid oeddwn i'n eu helpu hwy, am na fedrwn gyfaddef iddynt fy ngwir broblem—dibyniaeth ar alcohol. Ni chyffesais wrth na meddyg na chwnselwr nad yr iselder oedd y broblem waelodol, ond yr awch dihysbydd am gysur y cyffur yn y botel.

Roeddwn yn ymwybodol eu bod hwy'n gwybod, ond heb fy nghydsyniad i ni allent wneud dim, ond fy nghymryd ar fy ngair. A'r gair hwnnw oedd nad oedd alcohol yn broblem i mi. Ac nid wyf yn gwbwl siŵr nad oeddwn i fy hunan yn credu hynny. Yn sicr roeddwn yn gobeithio hynny.

Fe ddigwyddodd yr anochel, wrth gwrs. Aeth yr hen awch yn drech na'm penderfyniad cadarnaf, ac fe ailafaelais yn y botel. Ac â'r cyffur hwnnw eto'n diferu i'm hymwybod, gwella wnaeth y pruddglwyf, ac yr oedd yn haws i mi fyw gyda mi fy hun, a chyda phobl eraill, ac iddynt hwy fwy gyda mi . . . am dro, byr ei barhad.

Y mae natur yr afiechyd yn ailafael mewn dyn yn yr union fan y'i gollyngodd. Nid oeddwn fel petawn wedi gwella dim, na chael unrhyw adferiad. Mwy oedd fy angen, a llai oedd gallu'r alcohol i'w ddiwallu, ac yr oedd angen mwy, a mwy, a mwy, i gael yr un effaith . . . Ac felly y bu: o ddiferyn i ddiferyn fe euthum yn gwbwl gaeth. Nid oedd imi bleser mewn dim. Dioddefwn o ryw fath o niwralgia seicig na ŵyr y cyffredin ddim amdano. Aethai bywyd yn hunllef hyll. Dechreuodd pobl sylweddoli fod yr hen elyn wedi ailfeddiannu'r ysglyfaeth. Daeth llawer ffrind a holi'n gynnil—ac weithiau heb fod yn rhy gynnil—a oedd angen help. Gwelais y gofid yn dyfnhau ar wyneb Anne a'r bechgyn. Teimlwn fod pawb yn ysbïo arnaf, a'm gwylio, er mwyn fy marnu a'm bychanu. Ond fi a wnâi hynny, nid neb arall.

Gwelais ofid fy nheulu'n troi ar dro yn atgasedd llwyr, nid ataf fi ond at yr hyn a ddigwyddai i mi, ac at y rhwystredigaeth na chaent helpu. Help? Dim arnaf fi, diolch yn fawr. Roeddwn i'n iawn. Y gwir amdani oedd fy mod erbyn hyn yn gaeth, gorff a meddwl, i rywbeth yr oeddwn erbyn hynny'n ei gasáu, ac yn dymuno ymryddhau o'i afael. Ond ni wyddwn sut i wneud hynny, ac yr oeddwn yn llawer rhy falch a hunanol i ofyn am help. Collodd pethau cartrefol cyfarwydd bob dydd fy mywyd eu gafael ynof: cartref a swyddfa, llyfr a theipiadur. Ni allwn wynebu rhoi tro i'm cynefin. Teimlwn arswyd wrth gael cynnig i fynd 'adref' i'r Graig a Chlydach. Ni ddygai'r enwau ond ofn ac arswyd. Yr oedd rhoi tro i'r mynwentydd lle gorweddai Mam a Nhad ac Anti Hannah Mary a'r holl deuluoedd mawr a gynrychiolent, yn boen enaid a chorff.

Fe ddigwyddodd yr anochel eto. Tua Nadolig 1994 fe'm harestiwyd yr eilwaith a minnau ond ychydig dros y mesur o alcohol a ganiateir i yrwyr ceir. O flaen fy ngwell â fi, a cholli fy nhrwydded eto, am dair blynedd y tro hwn. Ond yr oedd gennyf gopi o'm trwydded (peth hawdd yw cael un o Abertawe, heb ffws na ffwdan) a chofiaf benderfynu fy mod am ddal i yrru, ac na ddywedwn dim wrth neb. Doedd dim wedi ymddangos yn y wasg, a neb yn gwybod, ond fi.

Dyna wallgofrwydd ynfyd yr afiechyd ar waith eto. Ni feddyliais am neb arall am hanner eiliad. Doedd neb yn cyfrif ond fi. Doedd dim o bwys, ond fi. Hunanoldeb gwallgof fy afiechyd a'm rheolai ym mhob peth. Ac fe yrrais fodur, er fy nghywilydd euog, am dros wyth mis, heb drwydded nac yswiriant. Ac ar hyd y misoedd hirion hynny gwnawn bob esgus i geisio cael rhywun arall i yrru. Wn i ddim a gredodd neb fi . . . fi a fu mor hoff o yrru, ac mor falch o'm gyrru erioed, yn honni bod yn gas gennyf y busnes! Ond misoedd du o edrych dros f'ysgwydd fu'r rhain. Yr oedd oernadu cri ceir yr heddlu yn boen iasol a godai'r blew bach ar gefn fy ngwar, mewn ofn ac arswyd.

Rhan o ynfydrwydd alcoholiaeth yw fod dyn yn cwbwl gredu ei fod uwchlaw y rheolau hynny sy'n llywio bywyd ac ymarweddiad pobl normal. Mae dyn yn ddeddf ynddo'i hun ac iddo'i hun, ac nid yw'n poeni nac yn malio dim am neb na dim. Doedd dim gwahaniaeth yn y byd pwy oedd yn y car, na'r tu allan. Doedd neb yn cyfrif ond fi. Ac fe gwyd ynof yn awr ymwybyddiaeth o gywilydd, o edrych yn ôl, y gallwn fod wedi lladd fy ngwraig, neu blentyn. Roeddwn yng ngafael yr afresymoldeb ynfyd a gredai nad oedd a fynno deddfau a rheolau y bywyd cyffredin ddim â mi. Byd ffantasi uffernol oedd fy myd, a minnau'n byw'n annormal mewn byd normal, a chredu fod pawb arall oddi ar eu hechel. Roeddwn allan o reolaeth, ac fe ymlwybrais drwy'r hunllef hon, gan hanner casáu fy hun, a hanner tosturio wrthyf fy hun.

Buan y trodd yr hunanatgasedd yn atgasedd tuag at bawb a phopeth. Ofnwn bawb. Roeddwn yn gaeth i bŵer fy niflastod parhaus, ac i'r cyffur a droes yn dreisiwr fy modolaeth. Fe'm meddiannodd yn llwyr, ac ni feddwn y nerth i'w ymladd. Nid allwn ddewis ond ufuddhau iddo yn fy hurtrwydd di-ddeall, ofnus. Rhyw lesmair oedd bod, a minnau'n hwylio ynddo, allan o'm corff a'm meddwl, yn sylwebydd ar fy myd, gan weld fy niwedd yn agosáu. Pen draw yr ofn a'r hunllef oedd cyrraedd y sicrwydd nad oedd i mi le yn y bydysawd, heb sôn am le na hawl bod ag unrhyw berthynas â'm teulu na neb arall. Yr oeddwn ar gomin unig, tywyll, lle nad oedd goleuni na gobaith. Doedd arno ond un llwybr; hwnnw a arweiniai at wahoddiad anwes y cwsg alcoholaidd nad yw'n gwsg, a hunllefau'r uffern nad yw na chwsg nac effro. Ac fe ddaeth gweld y wawr yn gas gennyf. Unig werth y wawr oedd fy rhyddhau o afael y nos, cyn i hunllefau effro'r dydd gael gafael ynof. A thrwy bob dydd edrychwn ymlaen at y nos, er yn ofni'r hunllefau, a'r chwys a'r cryndod a'r gewynnau tynn, er mwyn cael rhyddhad rhag y dydd.

Bu amser pan y byddai gwydraid neu ddau wedi lleddfu peth ar y boen a dreiddiai drwy fy meddwl a'm corff. Dygai olau ar y gorwel, un tro . . . ond, ac ni wn pa bryd, fe gollodd yr un neu ddau eu grym, a daeth angen tri, pedwar, mwy a mwy, i gyrraedd yr un lefel o gysur brau. Nid oedd dim yn ddigon, na gormodedd yn ddigon. Yr oedd fy hen ffrindiau wedi profi eu twyll gan eu bod bellach yn mynd yn fwy a mwy aneffeithiol. Yr hyn na ddaeth imi oedd yr awydd i niweidio eraill—taro allan at rywun. Ond daeth yr amser yn fuan iawn pan gredwn nad oedd dim amdani ond ceisio difodiant. Cynlluniais sut i derfynu bywyd. Boddi? Treiais hynny, a methu. Cyffuriau? Tybed faint fyddai eu hangen arnaf?

Mygu yn y garej? Fe glywai rhywun y peiriant. Torri'm garddwrn? . . . Ofnwn y boen. Crogi? Ond ymhle? A phryd? Faint o amser a gymerai? Y ffaith amdani oedd nad oedd arnaf ofn marw. Gwaeddai fy holl fod am hynny. Ofn methu marw oedd arnaf.

Yr oedd alcohol wedi gafael yn dynn ynof. Gwyddwn fod yn rhaid i mi roi'r gorau iddo. Yr oeddwn yn colli fy llais, f'archwaeth at fwyd, ac yn colli pwysau. Ni fedrwn gysgu o gwbl, bron, ac roeddwn yn ddioddef o flinder eithafol. Ond sut i orffen pob peth? Fedrwn i ddim! Dyna'r gwir plaen. Nid fi oedd meistr fy mywyd na'm ffawd. Gafaelodd meistr arall, ac ni ollyngai ei afael. Gafael yn sicrach a wnâi, ac yn greulonach, nes trodd yr un a fu'n gyfaill—yn gariad, yn wir—yn elyn creulon, ciaidd, na fynnai ond fy ninistrio a'm difodi.

Gwrthodais bob cymorth. Gwelais y boen a'r gofid yn arteithio wyneb fy mhriod, a'i gweld yn heneiddio yng ngofid ei hanobaith, wythnos ar ôl wythnos. Ond ni châi hithau helpu, chwaith.

Gwadu yw arf parod yr alcoholig, ac fe ddysgais i grefft gwadu fy mhroblem. 'Yfed? . . . Fi? . . . Cyffuriau? . . . Fi? Na, ac mae pwy bynnag a dd'wed hynny yn dweud celwydd er mwyn fy mychanu.' A hynny hyd yn oed ar yr adegau pan oeddwn yn drewi o'r stwff, heb le na hawl i wadu, a heb droed i sefyll arni (weithiau'n llythrennol).

Ar y byd yr oedd y bai, nid arnaf fi. Ar bopeth a phawb yr oedd y bai . . . fy ngwraig, fy mhlant, fy ffrindiau, fy nghymdogion, fy ngwaith, fy oedran, y tywydd . . . Duw. Unrhyw beth a phopeth, ond nid fi, na'r diawl yn y botel.

Yn fy unigedd, fe weddïais hefyd. Ond ar ba fath o dduw y gweddïwn, dydw i ddim yn siŵr. Duw y bargeiniwn ag ef ydoedd. 'Os caf well byd . . . Os daw cyfoeth . . . Os . . . caniatei hyn a'r llall, yna ni bydd angen y ddiod arnaf. Gwna di dy ran, ac fe fydd yn iawn.'

Yr oeddwn yn glyfar yn y modd y symudwn sylw pobl oddi arnaf fi at rywun neu rywbeth arall. Pan deimlwn feirniadaeth, neu fod rhywun yn holi ac edliw, gydag awgrym cynnil fod gennyf broblem gyda'r ddiod, yr oeddwn wedi dysgu y gallwn ladd y ddadl drwy gyfeirio'r sgwrs at broblem rhywun arall. 'Os wyt ti'n meddwl fod gen i broblem, edrych ar hwn-a-hwn, hon-a-hon. Dyna broblem i ti!' Ac nid twyll i gyd ydoedd. Credwn hynny! Ar brydiau roeddwn yn fawr fy ngofid dros eraill a'u problemau yfed ac iechyd, a'u problemau teuluol ac ysbrydol. Yr oedd gan eraill broblemau mwy na'm rhai i. Nid oedd raid i mi boeni. A beth am broblemau'r byd, a'i blant yn llwgu, a'i genhedloedd ar chwâl? Beth oedd diferyn neu ddau o'u cymharu â hyn?

Y ddadl arall, un y clywais eraill yn ei defnyddio wrth siarad amdanaf hefyd, oedd honno a honnai nad oeddwn yn gwneud niwed i neb ond fi fy hun. Celwydd mawr y ddiod yw hwn, sy'n dallu dyn i'r boen a achosir i eraill, y torcalon a'r anobaith. Wrth gwrs fod niwed i eraill . . . i bawb oedd mewn unrhyw fath o berthynas â mi . . . fy ngwraig, a'm teulu, a'm ffrindiau, a'm heglwysi. Ac fe wn i'n awr nad oedd ond megis trwch blewyn bach rhyngof fi a'u colli.

Wrth gwrs, yr oedd pechodau mwy na'r eiddof fi. Beth oedd tipyn o ddiod, neu dabled neu ddwy, neu hyd yn oed yrru heb drwydded nac yswiriant, o'u cymharu â'r gwir boen sy yn y byd? Doeddwn i na lleidr na llofrudd. Ond gwn fod yn rhaid i mi, mewn gwaed oer, ychwanegu heddiw . . . Dim eto, a dim ond trwy ras.

Pan geisiai pobl fod o gymorth i mi, caewn y drws. Nid oedd arnaf eisiau neb. Fi oedd capten fy ffawd, ac

Arglwydd fy nhynged. Ac yr oeddwn yn gwbwl siŵr fod popeth o dan reolaeth gennyf. Gwrthodais lawer llaw a fynnai fy nghodi i'r lan, a brifo llawer teimlad cariadus.

Fy arf pennaf i oedd Geiriau. Dyna'm crefft. Rwy'n byw ar eiriau. Ac fe'u defnyddiais i dwyllo ac i wadu, i frifo gan dorri i'r byw, i ddweud y celwydd clyfar, i ddenu a pherswadio, i erfyn am gydymdeimlad, ac i addo, ac addo, ac i resymoli bob torri addewid. Defnyddiais ddawn a roddwyd i mi i droi pobl o gwmpas bysedd bach fy nghyflwr, ac mae cofio fel y bu i mi frifo anwyliaid trwy gamddefnyddio'r ddawn honno, yn loes parhaol i mi. Nid rhyfedd i un o'r bechgyn ddweud, yng nghanol dagrau rhwystredigaeth, 'Fedrwn ni wneud dim â ti, Dad. Rwyt ti'n rhy dda gyda geiriau.' Mae ei eiriau ef yn pigo'm cydwybod hyd heddiw.

Ar y llwybr i waelod y dyffryn tywyll, sylweddolaf i mi ddefnyddio hen dric brwnt arall. Yn f'isymwybod, mae'n rhaid fod awydd i dynnu pawb i'r un iselder â mi yn trigo. Ymgais efallai i gael bobl i ddeall wrth rannu peth o'm hing. Ond gwn yn dda bellach nad yw'n bosibl i neb ond y sawl a fu yn y dyffryn hwnnw'n edrych ar y tywyllwch, i deimlo, heb sôn am ddeall yr ing nad yw'n ildio i ddim.

Rywsut fe fynnwn ddiflasu a sarnu mwynhad a phleser eraill. Ers tro byd, bu'r teulu'n ofni pan awn allan i rywbeth 'cymdeithasol'. Ofn fy ngwg lle dylwn wenu; ofn y pwdu yn lle cymdeithasu; ofn y tawelwch sur yn lle'r sgwrs; y cyfarthiad yn lle cyfarchiad. Ac ofn fy nghyflwr hefyd, wrth gwrs. Ac fe osododd y cyflwr hwnnw derfynau ar ein bywyd cymdeithasol fel gŵr a gwraig a theulu, ac fe gaethiwais Anne yn annheg o gelwyddog, ar dro. Ac fe leddais lawer dathliad teuluol . . . pen blwydd, Nadolig, pen blwydd priodas, ymweliadau'r plant, gwyliau. Yn wir, un o'r pethau a fu'n gatalyst a pheri imi geisio triniaeth oedd difa pob gobaith am fwynhau gwyliau yr edrychodd Anne a minnau ymlaen ato ers tro.

Y mae dau beth arall i'w hadrodd yn y fan hon. Nid yw'r darlun yn gyflawn hebddynt. Nid yw'r un o'r ddau yn esgusodi dim arnaf, ond maent yn rhan o ymffurfiad dyddiau olaf fy afiechyd, y dyddiau hynny a arweiniodd at weld y t'wyllwch mewn gwirionedd, a phenderfynu troi cefn arno.

Y cyntaf oedd cyfnod dros rai misoedd o bryder dwfn am gyflwr fy iechyd corfforol. Gafaelodd heipocondria cronig ynof. A chan fy mod wedi tueddu erioed i gredu fod rhannu gofid yn ei ddyblu, ni chafodd neb ond Anne wybod faint fy mhryder, er na chafodd hi weld y cyfan o'm hofn. Oherwydd yr oedd arnaf ofn; ofn am fy mywyd.

Dechreuodd rhyw drafferthion yn f'ymysgaroedd. Tua'r un adeg, bu farw cyfaill, tua'r un oed â ni, o gancr creulon. Nid oes pwynt ymhelaethu am yr hyn a'm poenai i, ond yn fy meddwl, yr oedd ei symptomau ef a'r eiddof finnau yn debyg iawn.

Trodd yr ofn yn banic, ac o'r diwedd ceisiais gymorth ein meddyg teulu gofalus ac amyneddgar, a danfonodd hithau fi at arbenigwr. Barn y ddau oedd fod fy ngofidiau'n ddi-sail. Ond bodlonais ar brofion poenus, annifyr a llawn embaras personol. Ar hyd yr amser hwn yr oeddwn yn sicr, y tu hwnt i bob rheswm, fy mod ar lwybr marwolaeth erchyll. Ac er i mi ddymuno marwolaeth, o wynebu ei bosibilrwydd, yr oedd arnaf ofn a'm parlysai.

Canlyniad y profion oedd fy mod yn iach, ar wahân i un broblem fach y bydd yn rhaid i mi fyw gyda hi. A byw oedd o'm blaen. Ac mewn cymysgedd o lawenydd a rhwystredigaeth, cefais fod alcohol eto'n gymorth cyfamserol, a gwahoddais y cythraul i'm rhengoedd. Wyddwn i ddim a ddylwn wylo neu chwerthin, llawenhau neu amau. Ond setlais ar fod yn bositif yn fy meddwl.

Fel rhan o drin y broblem fach sydd gennyf, cefais ddau gyffur, un, Loperamide sy'n ddidramgwydd, ac sy'n gweithio'r rhan fwyaf o'r amser. Ond ar gyfer yr adegau pan nad oedd hwnnw'n gweithio cefais Codeine gan yr arbenigwr, mewn dos fawr. Ac yr oedd effeithiau hwnnw'n fendigedig, yn enwedig gyda diod i'w helpu. Yr oedd bywyd yn wyn i gyd, a dedwydd braf, a doedd dim i'm poeni, na dim yn cyfrif, dim . . . dim . . . Ond byr ei hoedl fu'r amser hwnnw oherwydd fe welodd fy meddyg teulu'r drafferth o bell. Ac fe stopiodd y cyffur melys, diolch byth. Ond ar y pryd yr oeddwn ymhell o fod yn hapus. Yr oedd y drwg wedi ei wneud. Bu angen mwy o alcohol a Temazepan i gadw'r balans, a gwneud iawn i'm corff o golli ffrind mor dda.

Disgynnais yn gyflymach nag erioed i'r dyffryn, ar hyd grisiau tro dibyniaeth llwyr. Sylweddolais fod f'amgylchfyd yn 'newid ei liw' ar brydiau. Âi'r nos yn dduach, a chodai'r haul yn fwy tanbaid; roedd y boreau'n llai effro; siwrneiau byrion yn hirach; y panic prynhawnol yn ddwysach a'r min nosau yn fwy anghofus. Ac ni allwn weld pen draw yr hyn a ddigwyddai imi. Yr hyn a dyfodd yn fy meddwl, pan oeddwn yn gallu meddwl, oedd fod yn rhaid imi rywsut, a hynny ar fyrder, beri i'r peiriant cyflym hwn aros, a chamu oddi arno. Ar y grisiau symudol hynny o ddibyniaeth llwyr, daeth i mi yr ymwybyddiaeth fod yn rhaid i mi ddelio â'm cyflwr unwaith ac am byth. Rhaid oedd i mi wrth gymorth. Yr oeddwn yn gweld y gwaelod . . . a doedd yno ddim ond t'wyllwch. Aethai popeth yn ddi-bwynt a di-werth. Heb adferiad, nid oedd i mi ddim.

Cyfres o ddigwyddiadau yw'r ail beth. Ni allaf eu dyddio'n fanwl, ond gwn iddynt greu sefyllfa a wnaeth y t'wyllwch yn dduach. Mae a fynnont â chymdoges i ni, gwraig weddw gas. Carwn ddefnyddio ansoddair arall, caredicach, ond does gennyf yr un all ffitio. Nid yw'r wraig ond cythraul mewn cnawd. Ac fe fu i ni symud i'w hymyl. Ar y dechrau, yr oedd popeth yn iawn. Yr oedd yn wraig lân a destlus, er ei bod yn boenus o siaradus, a'i siarad yn feirniadol o eraill bob amser. Ond rywsut, wrth i ni wneud ffrindiau ag eraill yn ein bloc o fflatiau hapus, dechreuodd y wraig hon ar ryw fath o ymgyrch feirniadol, i'n gwaredu o'r bloc. Pam, ni wn. Ond gwn mai ei harf oedd celwydd, a hwnnw'n gelwydd cyson a chreulon, mawr ei ddychymyg. Celwydd wrth gymdogion ar lafar ac ar bapur, mewn llythyron hirion— un tudalen ar ddeg oedd y byrraf. Diolch fod y cymdogion yn adnabod y deryn, ac yn gwybod fod yr ymgyrch hon wedi dechrau pan apwyntiwyd fi'n Gadeirydd y pwyllgor rheoli.

Celwydd wedyn wrth Ysgrifennydd fy eglwys ar lafar ac ar bapur. Celwydd wrth Ysgrifennydd fy enwad, yn hawlio fy symud o'm swydd a'm cartref. Ac ni ddywedodd yr un o'r ddau air, nes i'r düwch afael ynof. Ac ar waethaf llythyron cyfreithwyr oddi wrthyf fi, ac oddi wrth fy enwad, ni rwystrwyd hi. Rhy eliffantaidd ei chroen, a rhy ddwfn ei hatgasedd.

Celwydd wrth yr heddlu hefyd. Cawsom ymweliadau gweddol gyson dros rhyw ddeufis, er mawr ofid i ni. Ond nid oedd y ddynes am wneud unrhyw gyhuddiad swyddogol . . . doedd ganddi'r un i'w ddwyn . . . dim ond ein poeni a cheisio codi'm tymer. Ac yn y ddeubeth, fe lwyddodd.

Cyhuddiadau twp oedd ganddi, i ddwyn yr heddlu i guro wrth ein dôr. Cyhuddwyd fi o ladd ei blodau a difa'i phridd, taflu dŵr ar ei drws ffrynt, ac ymddangos yn noethlymun yn ffenestr ein stafell fyw. Druan â hi! Dyna a ddywedaf yn awr, ond cyffesaf i mi golli'm limpyn y llwyr gyda hi fwy nag unwaith, ac y mae rhai geiriau y carwn pe na lefarwyd hwy. Ac efallai, oni bai am ddylanwad yr alcohol, y byddwn wedi dygymod â'i dwli dipyn yn well, ac yn sicr yn fwy rhesymol. Roedd yn rhan o'm gwaith i drin pobl â phroblemau fel hyn, ac i'w helpu i ryw dir diogel. Ond ofnaf i mi fethu'n llwyr gyda hon.

Fe ddaeth y methiant hwn, fel ei chyhuddiadau a'i phoendod, yn rhan o'r düwch. Atgas oedd y syniad fod ei llygaid arnaf bob munud awr. A chwaraeais i'w dwylo.

Ar ddiwrnod poeth ddechrau Medi 1995, bûm yn golchi'r car, a gwaith sychedig yw hwnnw. Gwyddai'r ddewines wyliadwrus y tu ôl i'r llenni, a dychmygaf iddi rwbio'i dwylo. Yr oedd Anne wedi cael niwed i'w throed, ac yr oedd cerdded yn boenus. Felly, dyma fi'n penderfynu, yn fy ngwallgofrwydd arferol, y byddwn yn ei nôl o'i gwaith yn y car. Heb i mi fynd ymhellach na chanllath o'r tŷ, dyma gar bach yr heddlu a thri plisman enfawr yn fy ngorfodi i aros. Profwyd fy anadl, ac wrth gwrs roeddwn dros y terfyn. Arestiwyd fi, ac wedi holi, darganfyddais mai fy nghymdoges fu'n gyfrwng eu galw. Credai madam iddi gael y gorau arnaf, ond carwn iddi wybod iddi gyflawni gweithred ymysg y garedicaf a wnaeth neb â mi erioed. Ond ni fyddai'n deall hynny.

Dilynodd y weithred hon trwy alw'r papur lleol. Cafodd y gohebydd fynd oddi yno gan y cymdogion, â dwy glust weddol goch. Ond cafodd madam ddweud ei stori ac fe'i printiwyd, ar waetha'i chelwydd. Fe gafodd ei phwys o gnawd. Ond petai hi ond yn gwybod hynny, cefais i gyfle i ailddechrau byw. A chwarae teg i bawb y bu hi'n cwyno wrthynt, glynasant yn fy nghyfeillgarwch â hwy, ac y mae fy nyled i'm cymdogion eraill am achub fy ngham trwy lythyr agored i'r papur newydd a'm beirniadodd mor hallt, yn un a gydnabyddaf am oes. Ni fu'n arfer gen i erioed i 'ateb y wasg'. Y tro hwn, gwnaethant hwy yn fy lle.

A dyna ddod i derfyn y rhan hon, a gwaelod y grisiau i'r tywyllwch du.

Yr oeddwn yn gwybod ers tro fod arnaf angen cymorth. Daeth pethau at ei gilydd, neu o leiaf fe ddigwyddodd nifer o bethau ar yr un adeg.

Ymweliad gan y bechgyn a'u gwragedd, a minnau'n gweld fy nghyflwr yn eu llygaid, oedd un. Sarnu'r gwyliau yr edrychodd Anne a minnau ymlaen atynt oedd un arall. Gweld yn y cyfan pa mor agos oeddwn at golli fy nheulu, a'm gwraig, a'm bywoliaeth. Deall fy mod o fewn trwch blewyn i golli popeth y bûm fyw amdanynt, a phopeth a gyfrifwn yn werthfawr a sanctaidd. A gwybod fy mod i'n beryglus, yn felltigedig o beryglus, o agos at golli fy synhwyrau'n llwyr, a'm bod yn agos at gyflawni hunanladdiad.

Ar ben hyn, daeth galwad ffôn oddi wrth ffrind yng Nghymru, a hithau'n onest iawn yn dweud wrth Anne fy mod wedi gwneud cryn ffŵl o'm hunan ar ddau achlysur 'enwadol'. Cyflawni ynfydwaith a wneuthum, er na allwn gyfaddef hynny ar y pryd. Ei wadu a wnes, yn chwerw a chas, a'i resymoli, a'i esgusodi, a phwdu a fflamio, ar yn ail. Dyna batrwm y gwadu cyson erbyn hyn.

Daliai twyll gwallgof yr afiechyd i weithio ynof. Ni allwn fynd i unrhyw bwyllgor neu gyfarfod swyddogol heb 'nerth' y ddiod. Ofnwn fy nghysgod, a chysgod pawb arall. Teimlwn yn annheilwng ac annigonol, yn llai na phawb. Arswydwn rhag fy nghred na chawn fy nerbyn na'm cydnabod. Llethu pob ymdrech at sgwrs wna teimladau felly, a llechais mewn conglau preifat, gan godi muriau rhyngof a'm ffrindiau gorau. O ran hynny, credwn erbyn hyn nad oedd gennyf yr un cyfaill yn y byd. Yr oeddwn yn fy nghasáu fy hunan, a sut yn y byd y gallwn ymagor i neb arall? Nid oedd yn bosibl i neb fy hoffi i. Ac ni allwn fynd i gwmni pobl heb gymorth cemegol. Fy annheilyngdod, fy methiant, fy mychander, fy unigrwydd. Dyna a lanwai fy meddwl. Suddwn yn ddyddiol i bwll o anobaith du, ac ar y diwedd nid oedd unrhyw gyffur yn gymorth na nodded. Teimlwn fy mod ar foddi, a boddi'n gyflym. Pa le bynnag yr awn, a pha beth bynnag a wnawn, yr oeddwn yn ymwybodol o gywilydd. Nid cywilydd neb arall ohonof fi, ond fy nghywilydd i ohonof fy hun. Eisteddai fel rhyw boli parot ar fy ysgwydd, gan edliw i mi'm methiant ym mhob sgwrs, fy ngwendidau ym mhob sefyllfa, fy atgasedd o'm hunan ym mhob peth. Yr oedd yno'n swnian yn fy oriau cwsg a gweiddi yn oriau'r deffro, nes yn y diwedd ofnwn gysgu, ac ofnwn wynebu'r dydd.

Ond llwyddwn rywsut i gyflawni fy ngwaith, gan weithio ar ryw beilot otomatig, a thynnu ar hen ddyfnder o waddol ddoe. A'm cydymaith beunyddiol oedd cywilydd, yno ym mhob sgwrs, a digwyddiad, a pherthynas, pob oedfa, angladd a dathliad. Nid oeddwn yn deilwng, ac ni allwn fyth fod yn deilwng mwy. Yr oedd Duw, os oedd yna Dduw, wedi'm gadael, wedi fy mradychu. Yr oeddwn yn destun sbort yn y Nef ac ar y ddaear. Mae'n debyg mai dyna pam, wrth adolygu pregethau'r cyfnod hwnnw, y gwelaf i mi bwysleisio pechod ac euogrwydd, barn a melltith, yn fwy nag a wneuthum erioed o'r blaen. Dim trugaredd, na chariad, na thosturi, ac yn sicr dim gobaith na hyder. Ac os bu i mi drosglwyddo'm gofidiau o'r pulpud i'r gynulleidfa, yn ddiarwybod i mi, maddeued hwythau, a Duw, i mi.

Am ba hyd y gallwn fod wedi cario ymlaen gyda'r esgus hon o ffydd, wn i ddim. Am ba hyd y gallai fy eglwysi fy ngwylio yn gwneud cam â'r dystiolaeth, wn i ddim. Ond o rywle, daeth i mi'r golau ar ganol dydd, ac fe welais fy mod o fewn ychydig i golli'r hawl a'r cyfle i gyflawni'r unig waith a roddodd i mi wir fwynhad erioed, ac ystyr i'm bod, y gwaith yr wyf yn sicrach heddiw nag erioed i mi gael fy newis a'm galw iddo . . .

Yna, ces fy restio drachefn. Ni welwn ddim ond y t'wyllwch, a hwnnw'n duo pob munud. Ond ohono yn rhywle daeth llygedyn bach o olau. Un seren wan, ond seren! Ac fel dyn ar foddi'n gafael yn y gwelltyn olaf, yr oeddwn yn fodlon i dreio unrhyw beth. Ym mherson priod Ysgrifennydd fy eglwys, Marion Jones, y daeth y seren i'r gorwel. Daeth â gwybodaeth i mi am Ganolfan Sant Joseph yn Haslemere. Ni chofiaf i mi ofyn yr un cwestiwn, am na chost, nac oblygiadau, na dim. Yr oeddwn rywsut yn ymwybodol, heb fod angen ei osod mewn geiriau, mai dyma fy nghyfle olaf . . . fy unig gyfle. Ond wedi holi, ni dderbynient fi os nad oeddwn i *er fy mwyn fy hun*, ac nid er mwyn neb arall, yn barod i ofyn am driniaeth. Ac yr oeddwn wedi treio'r busnes cwnsela 'ma o'r blaen, ac wedi ymwrthod â'r ddiod dros dro, ac wedi bod o dan law meddygon. Ond deellais nad er fy mwyn fy hun y gwneuthum hynny. Er mwyn fy ngwraig, a'm teulu, a'm ffrindiau, a'm heglwysi, a'm gwaith, ie. Ond nid o'm gwirfodd, rywsut. Nid er fy mwyn fy hun, ond er mwyn plesio neu fodloni eraill. Ond yr oeddwn yn awr ar lawr y dyffryn tywyll, heb unman i fynd. Yr oedd yn rhaid i mi gael cymorth. Ni allwn fynd gam yn is.

Codais y ffôn, a dyna'r alwad fwyaf anodd i mi ei

gwneud erioed. Cefais ddyddiad cyfweliad ac asesiad, a mynd i Ganolfan Sant Joseph i gwrdd ag un o'r bobl yno. Ni chofiaf ddim am y prynhawn hwnnw, er fy mod yn sad o sobr. Aros am ddyddiau, cyn cael gwybod i mi gael fy nerbyn ar raglen driniaeth yno. Ac O! y rhyddhad diolchgar! Trefnwyd yr holl ariannu trwy fedr a charedigrwydd John Merfyn Jones, Ysgrifennydd Castle Street, a threfnwyd i mi gael mynediad yno ar Fedi 25, 1995. Ond stori arall yw'r stori'r diwrnod hwnnw!

Drwy Gil Drws Uffern

Cronicl o ryw ddeufis a dreuliais yn westai Ei Mawrhydi Elisabeth yw'r adran hon. Nid cronicl dyddiol, canys bywyd undonog, pob-dydd-yn-debyg yw bodolaeth carchar. Ni cheir, felly, ddyddiadur dyddiol. Ni ddywedir dim am y dyddiau diddiwedd, llwyd, digalon, pan nad oedd dim i'w groniclo ond y muriau melynllwyd a'r drysau glasddu. Gwell yw gadael y rheiny yn unigedd diflas y cof; ni all neb ond y sawl a'u profodd wybod dyfnder eu digalondid.

Bernais mai gwell, er eu mwyn hwy, fyddai newid enwau pawb ond myfi fy hun, a'm teulu, a'm ffrindiau, yn yr adran hon. Gwn yn iawn am ddawn Gweithredwyr y Drefn i dalu'n ôl i'r sawl a fynn 'fod yn gyhoeddus'. Teg yw dweud mai carchar Wandsworth a ddisgrifiaf, fel y gwelais i ef. Nid unrhyw garchar arall, ac nid fel y gwelodd unrhyw garcharor arall.

Agorwyd y drws i'r camau olaf i waelod y dyffryn du, pan gaewyd yn glep ddrws trwm cell Llys Ynadon Kingston-upon-Thames, ar fore du Medi 25, 1995.

Cyfnod o Uffern fu'r amser rhwng fy restio a'm hymddangosiad ger bron yr ynadon.

Trannoeth fy restio, wedi noswaith ddi-gwsg, llawn cweryl ac edliw i Anne a minnau, ciliais i'm swyddfa, am na allwn aros yng nghwmni neb, yn enwedig fy nghwmni fy hun. Penderfynais gyflawni hunanladdiad. Gafaelodd ryw resymeg ynfyd ynof y byddai pawb a phopeth yn ddedwydd pe gallent gael eu rhyddhau oddi wrthyf i a'r hualau a glymais amdanynt. Credais, petawn i ond yn cymryd digon o dabledi i leihau pwysedd fy ngwaed, y byddai hwnnw'n arafu i'r fath raddau fel y byddwn farw. Yna, fe fyddai darfod amdanaf; byddai pob gwae a gofid a chyfrifoldeb ar ben.

Ofer fy namcaniaeth . . . nid wyf yn wyddonydd o fath yn y byd! Ni chafodd y tabledi yr un effaith, ond codi cyfog arnaf a barhaodd am ddyddiau. Llawn poen a gofid fu'r dyddiau nesaf, a chywilydd. Yr oeddwn yn ofni pawb.

Penderfynwyd na chawn na phregethu nac ymweld. Carwn petai'r byd yn ffrwydro, a dwyn fy mywyd i ben. Fy unig obaith, y gwelltyn y daliwn afael arno, oedd y cawn fynediad am driniaeth i Ganolfan Sant Joseph, yn ôl y trefniant a wnaed . . . ar Fedi 25.

Roedd fy nghyfreithiwr tyner, gofalus, yn ffyddiog—ac eto synhwyrais nad oedd yn rhy sicr—y cawn fy rhyddhau i ofal Sant Joseph, am driniaeth. Wedi'r cyfan, yr oedd llawer iawn o fudiadau ac unigolion yn 'dweud yn dda amdanaf'. Glaswellt gobaith, ac ymaflais ynddynt â dwy law!

Ond nid felly y bu. Erbyn hyn rwy'n gweld na allai fod yn wahanol. Rhaid oedd cyflawni gofynion y ddeddf. Rwy'n sicr erbyn hyn fod yn rhaid i mi dderbyn fy nghosb haeddiannol, a thrwy hynny fynd i waelod eithaf y dyffryn.

Mae'n bosibl na fyddai fy nhriniaeth ddiweddarach yn llwyddiannus, oni bai i mi dderbyn fy nghosb, a'i chywilydd, a'i phoen. Yr oedd ynof angen am gael fy nghosbi . . . yn rhan o'r broses o'm glanhau.

Cefais fy nghosbi, a rhywle yn y broses honno, cyrhaeddais waelod eithaf y dyffryn, a theimlo 'nhraed yn taro ar graig fy euogrwydd a'm cywilydd, a'r taro hwnnw'n malurio fy myd.

Ac yno hefyd y teimlais y peth rhyfedd hwnnw . . . y newid hwnnw . . . a droes yr anobaith yn obaith, ac a'm galluogodd i weld llygedyn o olau yn y düwch, a theimlo llaw nad oeddwn yn ei gweld na'i hadnabod, heb sôn am ei chydnabod. Ond yr oedd y llaw honno yno, ac fe'm gwasgodd droeon i'm gliniau, a'm brifo hyd at ddagrau, a'r rheiny'n ddagrau iachâd a glanhad.

Fe ddaeth i mi yn rhywle, rywsut, rywbeth na allaf ond ei alw'n dröedigaeth. Nid hoff gennyf y gair, ond yr wyf yn sicr nad yr un person wyf yn awr ag a aeth yn anfodlon dros drothwy drysau heyrn carchar Wandsworth ar Fedi 25, 1995.

Medi 25

Bu heddiw'n hunllef! Ni theimlais mor wan a diymadferth, unig, ofnus erioed . . .

Bu'r achos yn y llys yn annioddefol, bron, hynny a gofiaf amdano. Daeth Geraint, a rhai o swyddogion teyrngar Castle Street, yn gefn i mi.

Sefais ger bron fy ngwell ac fe atebais i'm enw, a'r cyhuddiad. Dyna i gyd a ganiatawyd i mi. Ac ar waethaf gallu fy nghyfreithiwr, fy nedfrydu i garchar a wnaed, am bedwar mis. (Ceisiodd y cyfreithiwr wneud y gorau o bethau drwy ddweud na fyddai ond hanner yr amser! Deufis dan glo!) Ac fe'm harweiniwyd mewn hanner breuddwyd i gell y llys, i ddisgwyl fy nghludo, i ble, nis gwyddwn.

Y drws yn agor, ac wele ddau ddyn Seciwricor a dau bâr o efynnau. I mewn i gar â mi, a gofyn yn betrus, 'I ble?' 'I Wandsworth . . . y carchar creulonaf yn y deyrnas!' O'r arswyd!

Roedd un o'r swyddogion hyn yn perthyn i Dystion Jehofa, ac fe fu wrthi am y chwe milltir yn ceisio fy narbwyllo mai ganddo fe oedd y golau. Efallai ei fod yn iawn . . . am heddiw . . . does fawr o ots!

Yna drwy amryw ddrysau, nes mynd i ystafell fach, rhyw ugain troedfedd sgwâr, a rhyw bedwar ar hugain ohonom ynddi. Dim lle i eistedd, ac er cael cynnig rhyw fath o fwyd, doedd dim archwaeth amdano, na lle i'w fwyta.

Rhyw nyrs yn fy ngalw, ac ysgrifennu rhai manylion di-bwynt. Yna at y 'meddyg', a sigarét yn ei geg, a'i fysedd brown yn f'archwilio o'm corun i'm traed, a minnau'n noeth.

Cawod yr un mor gyhoeddus, wedyn. Ni chefais ond wats a ffownten pen yn ôl i'w cadw. Cefais jîns, crys-T, crys chwys, trôns, sanau, a dillad gwely (cas gobennydd a charthen), sgidiau plastig (ddau seis yn rhy fawr) . . . a hyn i bara am wythnos.

Nesaf, cerdyn, a'm llun arno (yn sioc i gyd) a cherdyn llai yn dynodi rhif fy nghell, a'i liw'n dynodi fy nghrefydd. Dilyn swyddog blin, byr ei amynedd . . . a chael fod gennyf bartner yn y gell! Bachgen mawr chwe throedfedd a mwy, sgwâr fel cwpwrdd deri. Yr oedd arnaf ofn! Ond yr oedd Pete yn foi tyner, tawel a theimladwy. Fel finnau yr oedd ar ei ymweliad cyntaf â charchar. Eironi'r sefyllfa . . . Pete wedi ei garcharu am niweidio'n ddifrifol ac yntau'n swyddog diogelwch, yn rhannu cell â gweinidog o alcoholic!

Caewyd y gell am wyth o'r gloch, ond ni ddaeth cwsg . . . dim ond troi a throsi mewn cymhlethdod o gywilydd ac euogrwydd. Methu peidio â meddwl am Anne a'r hyn a wneuthum i achosi loes iddi. Yma'n awr, addawaf goncro'r aflwydd a'm dygodd i'r fan hon, beth bynnag a gymer hynny.

Medi 26

Codi, mewn lle dieithr iawn, wedi noson ddi-gwsg . . . ac y mae'n oer . . .

Eillio gyda'r rasal BIC, sy'n angharedig wrth yr wyneb lleiaf blewog!

Agorwyd y gell am wyth o'r gloch, a ninnau'n cael ein harwain i'r cantîn (siop). Cael tocyn gan ryw swyddog sarrug yn caniatáu gwario £2.50, hyd nes y daw 'cyflog'. Prynu papur ysgrifennu, sebon a brws dannedd. Methu fforddio past dannedd!

Brecwast wedyn . . . ac fe ddysgais yn fuan nad oedd angen holi beth oedd i'w fwyta.

Ffa pob, bara, a defnyn o fenyn, uwd di-siwgr, a the gwan, anghynnes.

Awr neu ddwy yn pasio fel oes. Yna, gwylio fideo neu ddau cwbwl ddi-bwynt . . . ffurflenni i'w llenwi . . . cyrsiau i'w dewis (O! syniad braf!). Ond wrth dderbyn fy ffurflenni'n ôl, sylw'r swyddog sarhaus oedd nad oedd gobaith i mi gael fy nerbyn ar y cyrsiau a nodais . . . a gwir y gair.

Gwneud camgymeriad y prynhawn yma . . . eistedd, pan ddylwn sefyll! Cael pryd o dafod hallt, ond cefais faddeuant blin hefyd. Addewid o gell i mi fy hun . . . a gwaith . . . *Relief Cleaner* . . . a chael aros ar yr Aden hon, Aden E. I'r Llyfrgell â ni y prynhawn yma! Synnu at y dewis. Dau lyfr ar gyfer yr wythnos nesaf. Felly dyma ddewis y mwyaf trwchus. Y ddynes yn caniatáu i mi fenthyca Beibl, ac fe dynghedaf fy hunan i'w ddarllen yn drefnus o'i ddechrau. Neilltuaf amser bob dydd i fynd drwyddo, heb esgeuluso yr un darn.

Ac fe lwyddais. Ymhen deufis yr oeddwn wedi darllen yr Hen Destament, ac wedi cael golau newydd ar aml adran ohono. Rwy'n siŵr mai yma'n rhywle y dechreuodd y broses ryfeddol o newid a ffrwythodd yn Sant Joseph yn ddiweddarach. Yr oedd a fynno darllen systematig o'r Gair â hynny. Rhyfedd fod gweinidog yn gorfod cydnabod na fu ganddo amser na disgyblaeth ar gyfer defosiwn personol reolaidd!

Gair gyda chaplanes groenddu garedig. Ei chyngor i

mi faddau i mi fy hun yn haws gwrando arno na gweithredu arno.

Gweld y meddyg, a hwnnw'n fy ngorfodi i gymryd Faliwm. Aeth bywyd o'r herwydd yn gysgod am ryw ddiwrnod neu ddau.

Ffonio Anne cyn cysgu, a synhwyro'r tensiwn, er iddi addo dod i'm gweld yn fuan.

Medi 27

Pete yn ddigalon iawn. Gwrthod codi na bwyta. Neb yn malio dim, er i ni gael ein hannog i gadw llygad ar ein gilydd a rhoi gwybod i'r swyddog landin os byddai rhywun yn isel! Rhagor o fideos di-werth! Yna allan 'i'r awyr iach' am Ecserseis, sef cerdded am ugain munud mewn cylch, yn ôl gwrthdro'r cloc, o gwmpas iard foel goncrid, fel diadell anfodlon o ddefaid dof neu glwstwr o ddofednod yn pigo a chlochdar. Yr undonedd yr un fath ym mhobman, er bod yr awyr y tu allan yn well o ychydig na'r awyr y tu mewn. Llythyr oddi wrth y cyfreithiwr yn dwyn rhybudd am fy apêl yn erbyn maint y gosb (ar ei gyngor ef). Dydd Gwener! Buan! Grêt! Efallai y caf fod yn . . . gwell peidio ysgrifennu'r gair am y tro, rhag ofn.

Pete yn well, ddiwedd y prynhawn. Cododd a dangos i mi lun o'i fab bychan. A *dyna* un rheswm dros ei gyflwr. Bydd y crwt yn cael ei ben blwydd cyntaf tra bod ei dad yn y lle hwn. Ysgrifennu at ei wraig drosto, 'achos 'dwy ddim wedi arfer sgwennu lot erioed.' Gwneud hynny'n llawen, ond teimlad rhyfedd yw ceisio cyfleu meddwl rhywun arall.

Medi 28

Codi, a chyn brecwast mynd â'r llythyr a'r drwydded ymweld i'r Uwch Swyddog gael golwg arnynt, cyn eu postio i Anne.

Brecwast. Uwd di-flas, selsig (un), tomato tun (un), dwy sleisen o fara, a the gwannach na ddoe hyd yn oed. Efallai mai te ddoe wedi ei ailddyfrhau ydyw!

Heddiw symud cell . . . cael bod ar fy mhen fy hun. Rhaid eu bod yn meddwl fy mod yn saff rhag lladd fy hunan bellach, ac nad oes berygl yn y gweinidog hwn iddo ef na neb arall. Llythyr! Oddi wrth hen ffrindiau . . .

Ceisio holi'r swyddogion am drefniadau mynd i'r apêl yfory. Cael dim synnwyr na chymorth. Atebion yn rhywle rhwng pegynau: ''Dwy ddim yn gwybod!' 'Paid gofyn i fi!' 'Cau dy geg', a 'Cei weld'.

Yr ateb i bob cwestiwn, hyd y gwelaf, yw 'Cau dy geg!' a rheg rywiol yn dilyn.

Sylwi'n barod fod iaith y swyddogion yn anweddus, a dweud y lleiaf, a'u rhegfeydd gwreiddiol yn seiliedig ar arferion y corff, arferion rhywiol, a chabledd! Ac er ei bod yn wir fod iaith rhai o'r carcharorion yn lliwgar, a bod geiriau rhegi rhywiol yn digwydd bob yn ail air, a bod llawer gair mwy gweddus i'r tŷ bach yn digwydd mewn sgwrs, eto ni chlywais fawr o gabledd ar wefusau'r rhan fwyaf o'r carcharorion. Yn wir y mae ganddynt barch at yr eglwys, ac yn sicr rhyw fath o ffydd yn Nuw, ac y mae enw'r Iesu yn rhyw fath o *fetish* na ddylid ei sarhau. Disgwyliais fod mewn cwmni garw, ond ni ddisgwyliais lefel mor isel ac anweddus oddi wrth y swyddogion. Eu hesgus hwy, wrth gwrs, yw mai dim ond iaith fel'na y mae'r 'diawliaid brwnt hyn yn ei deall'. Ond nid gwir hynny! Gwelais lawer yn ymateb yn gadarnhaol o'u trin fel pobl yn hytrach na budreddi'r byd.

Dechrau deall a dysgu nad oes ond un ffordd amdani i gael bywyd gweddol dawel, am ba hyd bynnag y byddaf yma, a hwnnw yw dilyn cyngor un a fu yma ers tro ac sy'n deall y drefn! Rhaid cadw'r pen yn isel, dweud a gofyn cyn lleied ag sydd bosibl, gan ufuddhau'n ddigwestiwn, peidio â gwenu, a chyfarch pob swyddog fel 'Syr' neu 'Guv'—yr ail, yn bennaf, wrth gyfarch y rhai mwyaf uchelgeisiol. Fel y dywedodd un carcharor wrthyf: 'Pan ddywedan nhw wrthyt ti am neidio, paid â gofyn "Pam?" Gofyn yn hytrach, "Pa mor uchel?" Fe fyddi di'n iawn wedyn.'

Dysgais eisoes hefyd mai'r mân swyddogion, crytsach o thygs mewn iwnifform, yw'r rhai i'w gochel. Mae'r rhai hŷn, a'r mwyaf profiadol, ar y cyfan yn fwy teg a chwrtais, ac yn awyddus i helpu.

Bydd yn rhaid i mi fod yn barod am lawer o dynnu coes, peth casineb a thipyn o amheuaeth ynglŷn â'm swydd a'm cenedl. Ond gwnaf fy ngorau i wenu.

Medi 29

Dydd fy apêl yn Llys y Goron, Kingston, am wn i. Dylai Anne gael y drwydded ymweld heddiw. Gobeithio na fydd ei hangen arni, ond cystal cyfaddef mai crynedig a phetrus ac amheus ydwyf ynglŷn â fel y bydd pethau. 'Nôl fan hyn bydda i heno, mae gen i ofn! Cyngor pawb ddoe oedd i mi beidio codi 'ngobeithion, gan mai eithriadau yw'r adegau pan fydd barnwr yn gwyrdroi penderfyniad ynadon.

Cael fy nghodi am chwech o'r gloch. Dim brecwast na thabledi. Dim ots. Newid fy nillad yn yr Adran Dderbyn, i'r crys a'r siwt sydd erbyn hyn yn bur anniben a di-raen. Un o'r carcharorion sy'n gweithio yn yr adran honno—boi clên a ffein—yn dweud iddo weld pwt amdanaf yn y *Daily Telegraph* . . . Dyna beth yw enwogrwydd! Ymhle arall yr ymddangosodd y stori, tybed? Yn y *Surrey Comet*, mi wn, ac oni bai 'mod i o dan glo fe fyddwn wedi dwyn achos enllib yn erbyn y gymdoges fileinig a'r papur celwyddog hwnnw, ac yn sicr wedi mynd at y bwrdd hwnnw sy'n gwrando cwynion yn erbyn y wasg. Ond dŵr dan y bont yw hynny nawr. Oherwydd does dim ots. Mae'r ffeithiau allan yng ngolau dydd, ac yn ymwybyddiaeth y cyhoedd. Does dim arall i'w guddio ac y mae hynny'n rhyddhad ac yn rhan o'r broses o lanhad. Fe delir y ddyled, a'r dyledion i gyd, i'r bobl y bu i mi wneud cam â hwy. Gall y beirniaid bach feirniadu a bytheirio. Fe ddof i o'm clwyfau'n iach, ac o'm caethiwed yn rhydd. Mae rhai ohonynt hwy na ddônt fyth yn well!

I'r llys, o flaen y Barnwr a dau Ynad. Cyfle i ateb i'm henw a'r cyhuddiad! Dim arall! Ni chefais agor fy ngheg. Dim arwydd o'r uchel fainc fod gan y Barnwr ddiddordeb yn y busnes. Y bargyfreithiwr ifanc yn effeithiol, a'r cyfreithiwr hefyd. Ond ni thyciai lawer. Yn ôl i Wandsworth â mi, a dod yn ôl ymhen wythnos, ar ôl i'r Barnwr balch gael darllen adroddiadau amdanaf. Credais y byddai wedi darllen yr hyn a ddaeth i'r llys oddi wrth lawer un cyn heddiw. Ond efallai ei fod yn brysur iawn.

Ni allaf beidio â meddwl mai dyma'i diwedd hi. Glaswelltyn gwan o obaith sydd ar ôl i mi, ond fe ymaflaf ynddo tra gallaf.

Yn ôl i'r carchar yn y bws mawr gwyn, ei gell unigol i bob carcharor, ei ddrysau clo a'i efynnau. Yn ôl o'r diwedd i'r gell y deuthum ohoni ddeg awr ynghynt. Ni chefais gyfle i dorri 'run gair â Geraint, nac eraill a ddaeth unwaith eto i'm cynnal a'm cefnogi mewn dydd blin. Da 'mod i wedi ysgrifennu nodyn at Anne. Bu un o'r swyddogion Seciwricor yn ddigon caredig i'w roi i Geraint i'w roi iddi. A dyna ddiwedd heddiw. Nos da felly, fyd, os da hefyd.

Medi 30
Dim cwsg! Deiliad y gell drws nesaf yn swnllyd drwy'r nos, yn gweiddi am fatsen. Y swyddogion byr eu tymer yn fwy diamynedd nag arfer ac yn colli eu limpyn yn llwyr. Caiff fynd oddi yma heddiw. Aden B amdani, siŵr o fod. Ar gyffuriau yr oedd o, medden nhw. Nid i gael mygyn y dymunai fatsen ond i boethi'r papur metel er mwyn iddo anadlu cysur y cyffur. Dyna'i broblem ef. Pawb at y peth y bo!

Dim Faliwm heddiw! Bendigedig! Fydda i ddim mor dwp ac araf o gwmpas pethau, nawr.

Cael mynd i'r cantîn a phrynu rhagor o bapur ysgrifennu. Brecwast heddiw fel ddoe. Uwd, selsig, tomato tun a bara a the.

Cawod wedi brecwast, a sylwi ar yr haul yn tynnu lluniau barrau ar y mur. Mae hyd yn oed Natur yn fy ngwatwar.

Symud i gell newydd eto. Mae'r peth yn troi'n arfer, neu'n ymarfer! Cell oleuach o ryw ychydig, ond mae'n oer! Mi fydd hi'n oerach heno, heb byjamas, a dim ond un garthen.

Cael 'Cymdeithasu' (adeg o rhyw awr a hanner rhwng 6.30 ac wyth). Amser i'r carcharorion ar ddau lawr isaf yr Aden i gymdeithasu a sgwrsio, gwylio fideo, chwarae pŵl neu gardiau, neu bêl-droed bwrdd, neu dennis bwrdd. Cael gafael mewn papur newydd . .. . bendith brin. Caf weld beth sy'n digwydd yn y byd, o leiaf.

'Sgwrs wleidyddol' â Gerry—Orangeman go iawn! Methu cytuno ein dau, ond sefydlwyd rhyw fath o berthynas.

I'm cell, ac ysgrifennu llythyron, a deall trefn cael hyd i'r ffôn i gael sgwrs ag Anne. Nid sgwrs naturiol, gan fod sgyrsiau ffôn yn cael eu recordio bob un, a hynny'n llyffethair ar y mwyaf diniwed o eiriau.

Llythyron ar fy ngwely, cyn swper, a'r wybodaeth fod rhywrai'n poeni amdanaf yn codi cywilydd, ac yn esgor ar ddagrau.

Swper diddorol. Sglodion, yn saim i gyd . . . pysgodyn o hil amheus . . . ffa pob . . . afal . . . a phecyn o fisgedi. 'Cadwa'r bisgedi,' oedd cyngor un carcharor profiadol. 'Maen nhw'n werthfawr. Gelli eu cyfnewid am rywbeth arall.' Am beth? Dysgais wedyn . . . am sebon, a phapur ysgrifennu, a phensil . . . a phe mynnwn, am gyffur neu 'bwff'.

Hydref 1

Dydd Sul, y cyntaf yma, ac ni chwenychais dreulio unrhyw Sul mewn lle fel hwn. Crwydrai'r meddwl at fy mhobl yn Seion a Castle Street ers cyn toriad gwawr. Cânt hwy ddiolch . . . ond mae'n anodd diolch yma. Brecwast . . . wy wedi'i ferwi (ers neithiwr!), bara a menyn . . . a *Corn Flakes* . . . Setlo yn fy nghell i'w bwyta, ond daeth galwad gorchymyn swyddog cyn i mi gyrraedd yr wy: '*Church!*' Doedd gen i ddim dewis. I'r criw *Church of England* amdani. Doedd dim darpariaeth ar gyfer Bedyddiwr o Gymro!

Mae'n rhaid fy mod wedi camddeall rhywbeth. Nid oedd fy enw ar restr yr addolwyr, ac felly ni chefais fynd i'r cwrdd. Bu camddeall yn rhywle . . . ai o fwriad neu trwy ddamwain, ni wn.

Ond fe gawsom fynd am Ecserseis am yr ugain munud statudol. Cael nodded amddiffynnol Pete a Tony . . . cawr o Babydd a chawr o Iddew oddeutu'r sbarbil bach o Fedyddiwr. Iaith y ddau yn ystod y sgwrs yn glasurol, ond eu calonnau'n iach ac agored. Beth sy'n cyfrif nad all yr eglwys dorri trwodd at bobl fel y rhain? Mae rhyw barchusrwydd y mae'r eglwys hanner-effro yn mynnu dal gafael ynddo, tra bod pobl yn chwilio am rywbeth, ond ni allant ei ddiffinio.

Siom y prynhawn yma. Disgwyliwn i rywun ymweld â mi . . . Wn i ddim pam, ond ni ddaeth neb . . . na gair oddi wrth Anne. Oes 'na rywbeth o'i le? A ddaeth y diwedd rhyngom? A gafodd hi fwy na digon?

Os do, pwy all ei beio? Nid fi. Dioddefodd fwy nag y gallai unrhyw gorff ac enaid fynd drwyddo, ac yn sicr yn fwy na'i haeddiant.

Caf air â'r caplan yfory. Caiff hi wybodaeth i mi. Felly dyna'r dydd ar ben. Mae'n 5.30. Wedi cael swper, a'r drysau'n cau tan wyth bore yfory. Bydd y nos yn hir.

Hydref 2

Codi'n gynnar, wedi noson o gysgu a deffro ar yn ail. Daeth swyddog deirgwaith, ac agor y twll bach a throi'r golau ymlaen i weld a oeddwn yn fyw! Ceisio ymolchi. Faint o ymolchi all dyn ei wneud mewn basin bach a thywel o faint hances poced? Y rasal BIC yn crafu'n ddidrugaredd. Mae wedi treulio, erbyn hyn.

Yr un hen uwd a selsig a'r domato sengl! Y bara menyn yn dderbyniol.

Cael galwad i weld y meddyg. Gobeithio ei fod yn well na'r rhai a welais hyd yn hyn. Wnaeth yr un wrth f'archwilio cyn fy nerbyn ond pesychu a thagu, a smygu a pheswch. Gofynnodd un i mi a oedd gennyf broblem gydag alcohol, ac atebais yn gadarnhaol. Ei sylw oedd: 'Rwy i'n hoff ohono hefyd . . . lot!'

Ac yna'r dyn croenddu hwnnw y bu'n rhaid i mi ei helpu i sillafu enw'r cyffuriau: 'Does gen i fawr o Saesneg.' Na, na dim arall, mae gen i ofn!

Ond heddiw, sioc a syndod. Y ferch o feddyg a fu'n gyfrifol am fy nhriniaeth sbel yn ôl yn aden seiciatrig Ysbyty Kingston. Cofiodd fi—beth bynnag a ddywed hynny! Y mae'n ffeind iawn, fel o'r blaen. Addawodd gadw llygad arnaf, ond ar hyn o bryd, nid oes arnaf ond effeithiau sioc.

Gwneud cais i weld y caplan, gan na ddaeth gair oddi wrth Anne. Poeni'n ofnadwy, hyd at boen corfforol. Beth os . . . Na! Ni allaf dorri'r geiriau ar bapur. Ond yna wedi cinio (rhyw gig a chabaits, a thatws, a rhyw bwdin o gwstard a dim arall), daeth golau ar ffurf llythyr oddi wrthi.

Melysodd ei gynnwys effeithiau gwg y swyddog diflas a'i dygodd. Danfonodd bres a stampiau, er y bydd yn rhaid aros nes yr â'r rheiny drwy'r system. Ond pwysicach na dim oedd derbyn llond côl o gariad cynnes.

Yna, er mawr syndod i mi, daeth swyddog annymunol a'm galw i'r ystafell ymwelwyr. Nid oeddwn yn disgwyl neb, ond yno yr oedd Anne a John Merfyn Jones. Cododd fy nghalon a theimlais loes yr un pryd. Rhaid fod Anne wedi teimlo embaras yr archwilio a'r aros hir, heb sôn am awyrgylch swnllyd y lle. Ond cawsom hanner awr . . . a dyna hi am bythefnos arall. Ond ysgafnach a sicrach fy ngham yn ôl i'm cell.

Awr i 'gymdeithasu'. Gwylio paffio ar deledu, a'r Cymro bach yn cael yffach o gweir.

Cefais eli i'r ecsema ar fy nghoesau. Efallai y caiff effaith er lles. Yr ysbryd yn ddigon uchel i ganiatáu rhigwm neu ddau, ond testun cyfrol arall yw'r rheiny.

Ac yna daeth gofid fod Jean Morris yn prysuro ymadael â'r byd hwn. Fe ddylwn fod gyda Tom yn awr, ac Anne, a fu'n gymaint o gyfaill i Jean, ond ni chaf. Fe ddylwn fod yno . . .

Hydref 3

Golchi'r tywel enbyd o fach a'r unig hances sydd gennyf. Maent yn dal yn llwyd, ond mae hynny'n well na du!

Y ffa pob a'r un sleisen o facwn yn nofio'n y saws tomato. Nid rhyfedd fod Heinz yn llwyddiannus! Hawdd proffwydo'r fwydlen! Yr un ydyw o wythnos i wythnos, ac o ddydd i ddydd.

Brecwast. Bob dydd ond y Sul, pryd y cawn *Corn Flakes*, dyma'r uwd safonol, dihalen, di-siwgr a dilefrith. Cawn ddwy sleisen o fara a menyn neu fargarîn. Sleisen o facwn a thomato (un bore), selsig ac un domato o dun (dau fore), selsig a ffa pob (dau fore), wy wedi'i ferwi (fore Sul). Hyn am hanner awr wedi wyth.

Cinio. Rhyw fath o gig, neu bastai, ond ravioli ddwywaith yr wythnos. Tatws wedi eu berwi un diwrnod, a *Smash* ar y gweddill. Cabaits ar bum niwrnod, a phys ar y ddau arall. Hyn am ganol dydd.

Swper. Sglodion, yn saim i gyd, ac mor llipa fel eu bod y tu hwnt i ddisgrifiad, heb sôn am eu bwyta. Tri darn o fara a menyn. Siwgr. Cawn dri o fagiau te ar gyfer y dydd amser brecwast. Cawn goffi ar ddydd Sul. Rhyw fath o bwdin a lot o gwstard, ar wahân i dri diwrnod pan gawn bwdin reis di-siwgr, neu semolina pur amheus.

Wrth ledorwedd a darllen wedi brecwast, hunllef o'r nos yn dychwelyd i'm hanesmwytho. Rhyw gynhadledd staff Cymdeithas y Beibl a phawb yn feddw mawr, ac un yn rhedeg dros y coridorau yn ei ddillad isaf a'r lleill yn taflu gwin coch ato. Dwy o'r ysgrifenyddesau'n prysur glirio'r llanast cyn y down i a'r pennaeth i archwilio'r fan. A rywsut neu gilydd, fy hen ewythr Dan yn ei hen fws Albion yn dod i'n cyrchu o'r lle. Daeth Anne i'r darlun yn rhywle, a'i cherydd hi wrth y drwgweithredwyr yn fy neffro . . . Nid oedd ond breuddwyd. Gall seicolegwyr ddadansoddi'r modd y mae meddyliau isymwybod y nos yn dal yn fyw yn y meddwl liw dydd, a'r modd y mae chwarter cof yn chwarae triciau dewinol. Ond yr hyn a wn i yw nad yw bob amser yn bosibl dweud y gwahaniaeth rhwng cwsg ac effro, dydd a nos, ffaith a hunllef yn y lle hwn. Fe ddaeth emyn i'm meddwl o rywle, ond diflannodd hwnnw cyn ei roi ar bapur. Hwyrach y daw yn ôl rywbryd, pan na fyddaf yn disgwyl amdano.

Ddiwedd y bore, Ecserseis! Pete a Tony yn cwyno fod ganddynt gefnau poenus. Nid wyf yn synnu. Os yw dyn 16 stôn ar wely digysur, ar fatres dwy fodfedd, nid rhyfedd fod y cefn yn gwingo mewn gwrthryfel! Sgwrs am y modd y deuthum i yma. A minnau'n dweud hanes y ddynes fileinig o gymdoges. Hwythau'n gofyn am ei chyfeiriad. 'Fe setlwn ni honno i ti, wedi i ni fynd allan. Gad hi i ni!' Ond er edmygu eu teyrngarwch, a rywsut edmygu greddf y jyngl concrid, gwrthodais roi nac enw na chyfeiriad. Fe gaiff hi ei thâl mewn ffordd arall, gan Rywun arall.

Y sgwrs yn troi at ddienyddio llofruddion. Pete o blaid hynny, a minnau a Tony yn ei erbyn, ef yn llawer mwy cadarn na mi.

Tony, yr Iddew, yn poeni'n fawr a oedd Jehofa yn deall pethau fel cyfrifiadur. (Yr oedd ef yng ngharchar am dwyll yn ymwneud â chyfrifiaduron.) Ofnaf i mi droi'r cwestiwn hwnnw'n ôl, gyda phesychiad bach anghyfforddus ac awgrymu iddo gael sgwrs â'r Rabbi.

Caplan Byddin yr Iachawdwriaeth yn galw heibio'r gell. Wedi hen groesi oed yr addewid, ac wedi ymddeol, ac eto'n treulio'i wythnos yn Wandsworth, Wormwood Scrubs a Brixton. Consýrn real am fy nghyflwr, ac awgrymiadau ymarferol. Deall ganddo fod dau offeiriad Anglicanaidd yn Brixton ac un Pabydd yma yng ngafael yr un meistr â mi, ac yn talu am drosedd debyg. Hynny'n fawr o gysur, mae arna i ofn. Pawb yn yr un cwch ac ati, ond nid yw'r cwch yn gyfforddus, serch hynny! Yna gair o weddi, a darllen darn o'r Ysgrythur, a'r cyfan yn bwrpasol a phersonol. Mae gan rai ohonom ni lawer i'w ddysgu am fugeilio ac y mae mwy gan drwch ein pobl i'w ddysgu am yr hyn y dylent ei ddisgwyl pan 'ymwêl' gweinidog â hwy. Mae mwy yn y busnes na sgwrs fach neis a di-bwynt am y tywydd a'r gêm bêl-droed, a chwpaned o de, neu 'sieri bach cyn mynd'.

O fewn deng munud, dyna Jan, y gaplanes Anglicanaidd, i'm gweld. Anne a John Merfyn yn poeni nad 'oeddwn fy hun' pan ddaethant i'm gweld. A gwir a ddywedent! Ond rwy'n dechrau dod i delerau â phethau erbyn heddiw, ac â fi fy hunan. Rwy'n gweld y cyfnod hwn o gosb a phoen ac anghysur yn rhan hanfodol o'r broses o'm glanhau a'm gwella. A rywsut neu'i gilydd, er gwaetha'r anghysur a'r gwaradwydd, fûm i erioed yn nes at Dduw. Nid fy mod yn ymwybodol ohono gymaint yn fy meddwl, ond rhyw emosiwn yn ymateb o'm mewn i rywbeth na allaf ond ei ddiffinio fel 'Duw'. Rhyw ddyfnder yn galw ar ddyfnder, ac enaid yn ymateb i enaid.

Merch dda yw'r gaplanes hon. Rhyw bump ar hugain oed yw hi, dybia i. Caiff dynnu ei choes yn ddi-drugaredd gan y llanciau, ond mae ei gwên a thinc ei llais a charedigrwydd gair a gweithred yn ennill y rhan fwyaf o galonnau sinicaidd a chaled. Hithau hefyd yn gweddïo gyda mi. Gweddi fer dair brawddeg, dyna i gyd, ond i'r pwynt ac yn eli i'm calon. Fe ddywedodd Iesu rywbeth am weddïau amleiriog, os cofiaf yn iawn.

Ymhen dwy funud dyma hi'n ôl a rhyw grwt digalon ac ofnus yr olwg yn ei llaw. 'Cymer ofal o hwn, wnei di? Rhywbeth i ti ei wneud!'

Diflannodd, ac edrychais ar y weledigaeth anniben a

digalon o'm blaen. Os oedd fy llun i ar fy ngherdyn ID yn datgan panic ac ofn, yr oedd arswyd y byd ac uffern yn wyneb hwn. Daeth gair neu ddau yn Saesneg ac arlliw acen Gymraeg gyfarwydd arno. Cwm Tawe yn rhywle! O Fôn-y-maen, ac wedi iddo ddeall fy nharddiad innau, trodd yr ychydig eiriau'n ffrwd gyflym. Wedi ei ddwyn yma gyda llond bws o garcharorion eraill o garchar Abertawe, am fod y lle hwnnw'n llawn. A oes rhywbeth da i'w ddweud am y fath drefn annynol a dienaid sy'n trawsgludo pobl ifanc (a phobl yw'r rhai hyn) ymhell oddi wrth eu teuluoedd, a phosibilrwydd ymweliadau? Choelia i fawr! Trefn annynol a sarhaus ydyw, ac yn fwriadol felly. Ond yn ôl at y pwynt.

'Fe glywes i chi a hi'n siarad. Pregethwr ŷch chi, ontefe? Mae lot o bethe ar 'y meddwl i. Ac rwy'n becso am Mam . . . a 'dwy ddim yn gallu sgrifennu lot. Gwnewch lythyr i Mam drosto i.' A dyma roi ar bapur deimladau'r mab afradlon ofnus, dagreuol hwn, ymhell o'i gartref—a chwyno'r un pryd, yn fewnol, bod y llythyr yn llyncu fy mhapur prin!

'Ga i ddod 'nôl fory?'

'Cei, wrth gwrs.'

O'r arswyd, beth wy' wedi'i wneud nawr? Ond diolch fod lle i fod o ryw gymorth i rywun, ac yn y cymorth hwnnw dystio, hyd yn oed (na, yn enwedig) yn y lle hwn. Gwyn fy myd i mi gael fy ngalw i bethau fel hyn, er ised nawr fy ngwedd.

(Daeth yn ôl, a dwyn rhyw dri neu bedwar arall o gyffiniau Abertawe, a Chastell-nedd, ac Aberafan gydag ef. Ac felly y ganwyd un o'r parchusaf o'm llysenwau: *Rev Taff*. Sain mwy derbyniol iddo na *Dry Licker, Sky Pilot*, *God's Spy* . . .)

Pwy yw'r rhai hyn?
(Cwestiwn wrth weld triniaeth ambell garcharor)

Pwy yw'r rhai hyn sy'n cerdded heibio'r gell
A phylni blinder byw'n eu llygaid pell?
'Dyn nhw yn neb ond carthion daear Duw
Sy'n haeddu gwarth a chosb am fryntni'u byw.
Sorod y byd, yn mynd heb le i droi
Ond di-nod noddfa cell, eu man i ffoi.
Budreddi'r strydoedd, rwbel parchus fyd.
A thithau yn dy urddas groesodd stryd
Rhag rhannu'r palmant â'r rhai brwnt eu gwedd,
Annibendod daear, fyddai'n well mewn bedd . . .
Clyw, gwelais galonnau na holltai cŷn
Yn toddi'n ddagrau, o drin dyn fel dyn.

Hydref 4
Cnoc drom ar ddrws y gell, a'r golau ymlaen o'r tu allan.
'Cwyd, Evans, MD 1273. Llys i ti heddiw! Bydd yn barod mewn deg munud.' Beth sy'n bod ar hwn? Does dim llys i mi heddiw. Chwech o'r gloch! Ond does dim yn tycio. Gwisgo, i'r Adran Dderbyn, dadwisgo, cael fy archwilio, cawod gyhoeddus yn ôl y gorchymyn. Mae'r siwt yma'n futrach bob tro y gwisgaf hi, ac mae'r crys gwyn yn llwyd ac yn drewi o chwys! Ac eto nid oes eglurhad. Mae'n rhaid fod rhyw gamgymeriad. Ond mae fy enw i lawr i fynd ar y bws i Lys y Goron, Kingston, ac mae'r papur yn ddeddf ddi-droi'n-ôl. Ac eto, rwy'n siŵr mai ar y chweched y dywedodd y cyfreithiwr y byddwn yn ôl am ganlyniadau'r apêl. Ond y drefn ar y papur yw'r unig drefn.
(Cefais wybod yn ddiweddarach fod plisman mawr cyhyrog fel Goleiath wedi galw yn ein tŷ ni neithiwr, ac wedi dychryn Anne allan o'i chroen. Chwilio amdanaf fi

yr oedd, a gwthio'i ffordd yn ddiseremoni a diwahoddiad i'r tŷ, er mwyn gwneud yn siŵr y byddwn yn y llys heddiw. Dylai'r heddlu, o bawb, wybod ble'r oeddwn a pha mor ddiogel! Da y gwnaeth Anne yn galw'r cyfreithiwr. Petai'r fath beth yn digwydd eto, yn sicr fe fyddai adroddiad go bigog am ymarweddiad yr heddgeidwad arbennig hwn yn mynd i'w feistri. Yn sicr ni fydd yr un ohonom mor llariaidd a chyfeillgar yn ein hymwneud â'r heddlu yr ymddiriedwyd iddynt gadw'r gyfraith yn foneddigaidd, yn y dyfodol. Ar wahân i ambell eithriad brin, fe welsom ni hwy ar eu gwaethaf.)

I'r bws cellog â mi eto, a'r cyffion. Sŵn y radio yn fyddarol, a gwaedd ambell garcharor yn ceisio 'tân' a 'pwff'. Gallaf weld allan drwy'r ffenestr er na all neb weld i mewn. Rhyw fath o bleser i'w deimlo o weld pobl yn mynd at eu gwaith a hithau'n pistyllio'r glaw. Teimlais erioed fod rhywbeth iachusol mewn cerdded mewn glaw trwm. Beth na roddwn am gael ymuno â nhw.

Rhannu cell yn y llys gyda boi o'r Pentre, Rhondda. Mae o flaen ei well am drywanu ei wraig yn ei hwyneb wedi iddo ddod o hyd iddi'n cydorwedd â ffrind iddo. Rhannu ei awydd am gael mynd yn ôl i Gymru. Sôn am yr hen farchnadoedd, o bopeth, a'r sgwrs yn troi i bys a ffagots marchnad Castell-nedd, a bara lawr Pen-clawdd ym marchnad Abertawe. Atgofion melys eu blas yn dwyn cydhiraethu a chydgysuro. Beth fydd y ddedfryd arno, tybed? Gobeithio na chaiff yr un barnwr difater ag a gefais i.

Dyma'r ateb i'r dirgelwch boreol. Nid o flaen y llys yr wyf heddiw, ond dod i weld y swyddog prawf, er bod swyddog prawf yn y carchar hefyd. Mr N. yn fachgen ifanc ardderchog, ac yn amlwg yn gwybod ei waith. Rhoddodd hyder i mi. Cefais ganddo gydymdeimlad a dealltwriaeth lwyr. Mae ef o leiaf yn ffyddiog y bydd y barnwr yn derbyn ei gynllun ac y caf fynediad i Sant Joseph ddydd Gwener. Mae eisoes wedi trefnu hynny! Caf fynd, mae'n gobeithio, am driniaeth, ac yna'n ôl i gael fy nedfrydu wedi dechrau proses fy adferiad. Cawn weld. Alla i ddim rhannu ei hyder. Cadernid ei law yn codi fy nghalon a'm gobeithion, serch hynny. Ni wna diwrnod neu ddau o obeithio niwed i'm hysbryd.

Derbyn caredigrwydd mawr gan glerc Seciwricor. Caredigrwydd Celtaidd cynnes o ddyfnder yr Iwerddon.

'Pe na baet ti'n Gymro ac yn "offeiriad", fyddwn i ddim mor neis i ti, cofia!' Cael sgwrs ag Anne ar y ffôn, a mynd yn ôl i Wandsworth mewn car heb aros am y bws mawr gwyn. Mae unrhyw beth yn well nag eistedd eto ar fainc goncrid galed cell y llys. Yr unig broblem fach oedd sŵn byddarol Capital Radio yn y car. Ond y gyrrwr du ei groen a gwyn ei wên wrth ei fodd. Pwy oeddwn i i atal ei bleser?

Perfformans yr 'ailddderbyn'. Dadwisgo, a chael ar ddeall nad oedd yn rhaid i mi fod wedi newid o gwbl i weld swyddog prawf. Cawod eto. Archwilio popeth gyda phelydr-X gan gynnwys fy Meibl, yr unig beth y caniatawyd i mi ei gario gyda mi. Pacio'r dillad yn ôl yn y bocs, mor ddestlus ag y gallwn gan y bydd eu hangen eto ddydd Gwener. Cinio gweddol yn yr Adran Dderbyn —y carcharorion yno'n gwneud eu bwyd eu hunain, a chael rhan ohono, o'u caredigrwydd!

Awr eto o ddisgwyl, a'r mwg sigarennau a'r sŵn a'r clebran gwag nerfus yn y stafell fach yn codi cur pen arnaf. Rhai'n smygu 'pwff', sef tybaco, ac ambell un wedi cael gafael mewn *joint*, sef canabis, tra bod un neu ddau yn ddigon mentrus i bwffian cyffur llawer cryfach a mwy peryglus. Cymysgedd rhyfedd o arogleuon! Ac fe ychwanegwyd at fy ngeirfa hefyd. O Brixton y daeth y giwed arbennig hon, am fod un aden yn y lle hwnnw'n cael ei 'diweddaru'. Gwrando'n ochelgar mewn cornel gweddol dawel a disylw. Credais fy mod wedi clywed llawer llw a rheg yn fy oes, ond arswyd y byd, ni wyddwn yr hanner o'r ymadroddion lliwgar nad gweddus eu hailadrodd yma. Rhai yn dadansoddi'n feistraidd, o brofiad, rinweddau a methiannau carcharau . . . Wormwood Scrubs, Wandsworth, Yr Ynys (Wyth), Caerdydd, Rhydychen, yn union fel *gourmet* yn dadansoddi bwydlen! Rhyfedd o fyd!

Deallodd rhywun, wedi hir holi, natur fy ngwaith a natur fy nhrosedd. Wedi pyliau o chwerthin afreolus, a munudau o dynnu coes, a llawer gwên effeithiol ar fy rhan i, tawelodd y criw, a mygwyd peth ar yr iaith. Ac fe fu i aml un ohonynt dynnu croes o'i boced, neu ddangos cadwyn am y gwddf a chroes yn hongian arni. Mae gan y dynion duon yma hen waddol o grefydd a llawer ofergoel yn gymysg ag ef. Mae ganddynt barch at, ac ofn, symbolau Cristnogol.

Synnent nad oeddwn i'n gwisgo'r un arwydd o'm ffydd, nes gweld y Beibl. Tawent gerbron hwnnw. Yr oedd yn llyfr cysegredig i'w barchu a'i ofni. Cododd llawer cwestiwn ynof. Sut mae torri trwodd i fanteisio ar yr haenen 'ysbrydol' hon? A oes angen i mi ailystyried gwisgo croes neu bysgodyn ar fy llabed?

I'r un gell ag y deuthum ohoni oriau ynghynt, o'r diwedd, a'r swper gwaethaf eto. Rhyw ravioli dyfrllyd, oer, a sglodion wedi hen flino byw! A iogwrt! Ych a fi!

Tony wedi cael ei symud i garchar agored. Da iawn! Ond piti na chawswn gyfle i ddweud ffarwél hefyd. Bu'n ffeind iawn wrthyf.

Un o'r caplaniaid yn dod i'm cyrchu i 'grŵp trafod'. Fawr o hwyl mynd, gan fod fy mlinder corff, meddwl ac enaid yn fy llethu. Rhyw grŵp 'efengylaidd' o'r 'tu allan'. Yn ddigon cydwybodol ac arwynebol. Tameidiau o anerchiadau, tameidiau o weddïau mewn cylch, rhyw esgus o adrodd profiad, a chaneuon ailadroddus. Didramgwydd ar y cyfan, ond ofnaf na fu i mi elwa rhyw lawer o'r sesiwn. Ond yr oedd yn awr arall allan o'r gell, cyn cael fy mhaned lugoer cyn noswylio am 8 o'r gloch. Myfyrio cyn cysgu ar thema'r sesiwn—mor bell ag yr oedd iddi thema: colli hunan-barch. Hynny ynddo'i hun yn siarad â mi ac amdanaf fi! Sylweddoli fod hunan-gosb a hunandosturi yn amlygiad o bechod, yn sarhad ar gariad Duw, a welodd yn dda i'm creu a'm galw. Os carodd Duw fi, pa hawl sydd gennyf i'm casáu fy hunan? Mae derbyn hynny'n iawn ar lefel feddyliol. Ond ni suddodd i'm henaid na'm calon, eto. Diwedd diwrnod cymysglyd a rhyfedd.

Hydref 5

Cysgais. Gweld y meddyg eto heddiw. Fy rhyddhau rhag y Faliwm felltith a dim ond y tabledi arferol heb sgileffeithiau i'w cymryd. Diolch byth. Rhyfedd fy mod yn dweud hynny, oherwydd rhyw bythefnos yn ôl ni chredwn y gallwn fyw heb gyffuriau i'm tawelu neu i'm cynhyrfu! Rhyngddynt hwy ac alcohol doedd gennyf ddim gobaith am normalrwydd yn fy mywyd. Efallai fod y meddygon yn iawn, nad yn y dibyniaeth corfforol y mae'r broblem yn gymaint ag yn nibyniaeth y darn hwnnw o'r corff sy'n gorwedd rhwng y ddwy glust!

Efallai y cawn fynd i'r cantîn heddiw. Bydd yn rhaid cael past dannedd a phethau tebyg yn barod, rhag ofn y caf fynd ar fy union i Sant Joseph. Cawsom addewid y caem fynd i'r cantîn heddiw. Ond y mae addewid ac addewid yn y lle hwn.

Gobeithio i Anne gael noson ddiblisman. Rhaid dweud bod y busnes wedi fy nghynhyrfu. O leiaf, cafodd wared â'r ddraig o gymdoges dros dro. Ond chwythodd hi ei phlwc, ac y mae cefnogaeth ein cyd-drigolion yn codi'm calon, ac yn gefn i Anne nawr. Does gan y ddynes mo'r synnwyr na'r callineb i weld ei bod wedi gwneud mwy o niwed iddi hi ei hun, er i mi deimlo effaith ei gwaith arnaf. Beth ddywed ei merch, sy'n swnio'n reit gall, am ei stranciau a'i sterics, tybed? Os mai ati hi yr aeth. Ac eto rhaid tosturio wrthi. Mae arni angen gofal, petai ond yn bosibl i rywun ddod yn agos ati, heb i'w thafod fynd i'r gêr Damon Hill hwnnw, a chyda'r un pŵer hefyd â pheiriant ei gar! Felly anghofiaf amdani, am heddiw, o leiaf.

Brecwast yn hwyr, a fawr o flas arno pan ddaeth.

Padi bach (does neb a ŵyr ei enw) yn treio 'hwylio', twyllo, denu, rhywun i roi siwgr iddo.

'Sut ddiawl ma'r Saeson 'ma'n disgwyl i ni fyta uwd heb siwgwr? Mi dagaf!'

Wel, tagu amdani fydd raid, Padi, oherwydd does gan neb siwgr neu does neb yn fodlon rhannu â thi. Rhega Padi'r Saeson yn hyglyw a bygwth agor clwb gwrth-Seisnig ar yr Aden. Mae yma bedwar Gwyddel, tri Chymro, tri Albanwr, un Rwsiad, un o Wlad Groeg, dau Ffrancwr, a dau Almaenwr, heb sôn am griw o rai croenddu, nad arddelant Seisnigrwydd.

O'r doniol i'r lleddf. Clywed am farwolaeth Jean Morris. Bendith oedd ei chymryd, ie. Ond bydd y golled i Tom yn ei lesgedd ac i David ac Eleri, ac i Anne a minnau'n enfawr. Gwir ffrind. Yr oeddwn yn ei charu'n fawr. Cododd pelen blwm o'm stumog i'm gwddf. Ni fydd Cwrdd Aelwyd Kingston yr un fath heb ei threfn a'i hiwmor, a heb dreiddgarwch doniol Tom. Cadw'r cwrdd yn fyw fydd un rhan o'i choffâd. Teimlo euogrwydd llethol fy mod yma, yn hytrach na gyda nhw yn eu trallod. Ei gair olaf i mi yn yr ysbyty oedd 'Cymer di ofal, nawr'. A doedd neb ond hi a minnau'n gwybod dyfnder ystyr y frawddeg fach honno. Os bu angladd erioed na ddylwn ei golli, hwn yw e. Teimlo y dylwn ofyn am ganiatâd i fynd. Ond nis caf pe gofynnwn. Ac nid iawn i mi fynd, chwaith. Braint cyfeillion Castle Street fydd dal breichiau Tom, nid sylwi arnaf i a phoeni amdanaf ar y dydd hwnnw. Un o dan awdurdod ydwyf am nawr, a phlygaf i drefn fympwyol y carchar. Efallai y daw un o'r caplaniaid pan ddaw awr arwyl Jean. Caf gofio mewn oedfa fach dawel.

Daeth caplan fin nos. John, capten ym Myddin yr Eglwys. Rywsut mae ein personoliaethau ni'n dau'n methu asio. Ei ddull bombastaidd braidd, a'i lais mawr yn peri anesmwythyd i mi. Ond yn effeithiol iawn gyda rhai o'r carcharorion mwyaf anhydrin.

Ond dygodd gydag ef Feibl Cymraeg. Ymhle y cafodd afael ynddo? Un mawr trwm hen orgraff. Caf ddarllen heno yn fy iaith fy hun!

Cwynais lawer am y busnes 'bugeilio' yma. Ond pwy ohonom ni wrth ymweld â'n pobl sidêt yn eu cartrefi cyfforddus neu ysbytai antiseptig, sy'n gorfod wynebu'r amarch a gaiff rhai o'r caplaniaid yma? Collais gyfrif ar sawl 'Ff . . .' a 'B . . .' a 'D . . .' a gwaeth, a glywodd hwn oddi ar wefusau'r rhai a âi heibio'r gell. Ac nid ar ddamwain bob tro. Ond ni chododd ael na throi'r un blewyn.

'Y bobl sy'n cyfri, wel'di. Falle mai dyna'r unig eiriau ma' nhw'n eu gwybod!'

Cael mynd i'r cantîn. Prynu stampiau a cherdyn ffôn. Trysorau yn y lle hwn. Cael past dannedd a sebon. Anghofio amlenni a phapur. Diolch am garedigrwydd Rhif 1 ar yr Aden—Roy. Gŵr tua'r un oed â mi a fu yma erstalwm ac a fydd eto am bedair blynedd arall am iddo dwyllo'i ffyrm o dri chwarter miliwn o bunnoedd.

Gwariodd y cwbwl, medd ef, felly ni all dalu'n ôl ond gydag amser dan glo. Ai'r sinic arferol ynof sy'n amau? Boi clên a charedig, a'i sgwrs yn lân a diwylliedig, a gwên bob amser yn torri trwy ei farf frith. Bol mawr yn ysgwyd wrth chwerthin a cherdded, a chellwair gwrthod fy nghais am 'fenthyca' papur ac amlenni. Cael saith llyfr o'r llyfrgell (mwy na fy hawl o ddau mewn wythnos). 'Fe ddywedaf eich bod yn astudio,' oedd sylw anghyfreithlon y ferch wrth y cownter. Pwy ŵyr nad af drwy lawer heddiw a heno? Bydd pob awr ohonynt fel oes Methiwsela.

Hydref 6

Cael fy ngalw'n annynol o gynnar, a'r un berfformans ag arfer wrth ddod a mynd yn y lle hwn. Codi'r breichiau a lledu'r coesau i'm harchwilio, a hynny'n dod yn otomatig i mi, erbyn hyn, fel y mae estyn fy nwylo am y cyffion. Gwers mewn gostyngeiddrwydd, efallai, er bod rhai o'r athrawon mor dwp â'r stên ddiarhebol.

I'r llys yn Kingston eto, yn yr un hen fws gwyn a'i gelloedd sengl clo, a'r cyffion a'r sŵn a'r mwg. Da oedd gweld Owain a Geraint a John Merfyn a John Samuel, yn driw a gofalus gefnogol fel arfer. Telpyn mawr yn fy ngwddf. Da, o bosibl, na chaniatawyd i mi'r un gair â neb ohonynt, er bod y swyddog Seciwricor wedi bod yn ddigon caredig i estyn nodyn i Geraint i'w ddwyn at Anne. Ni allwn atal y dagrau, serch hynny, ac wylais yn agored a digywilydd wedi fy arwain yn ôl i'r gell gul, oer, goncrid, anghysurus, fudr a thywyll, a'm hapêl wedi ei gwrthod. Disgwyl yno heb gwmni na chysur ond paned wan o de, rhwng 10.45 a 6.30 cyn fy nghludo'n ôl yn y bws mawr gwyn i Wandsworth drachefn, a'm cell gaeth am yr hiroes o saith wythnos.

Ni ddisgwyliais ddim yn wahanol. Ar waethaf medr y

bargyfreithiwr, ac apêl alluog y Swyddog Prawf, nid oedd gan y Barnwr difater, uchel-ael a gwglyd yr un iot o ddiddordeb mewn gwrando ar yr achos. Penderfynodd cyn dod i'r llys, o hynny yr wyf yn sicr. Ni chredai ef fod arnaf awydd cael gwellhad. Yr oedd yn amheus o'm cymhelliad! Beth arall allwn i ei wneud? Onid yw parodrwydd i dderbyn triniaeth na fydd yn hawdd na chysurus yn awgrymu cymhelliad? Ond credai'r gŵr mawr hwn mai fy lle i, fel gweinidog, oedd 'dweud wrth eraill sut y mae byw'. A dyna gyfyngiad ar fy ngweledigaeth i o'r weinidogaeth Gristnogol os bu un erioed! Felly, yr oedd yn rhaid iddo ef wneud esiampl ohonof. Dyna hi. Digon teg, o'i safbwynt ddiweledigaeth ef, mae'n debyg. Nid oedd yr hen ŵr am wrando, ac ni chredaf fod ganddo'r dychymyg i wrando.

Ar derfyn diwrnod blin a digalon, er na ddisgwyliais well, yn ôl i'm cell â mi erbyn 10.30. Rhy hwyr i ffonio Anne, a diolch am hynny yn wyneb cyflwr fy nheimladau. Wylais, heb gysgu fawr ddim. Wylo, nid am i'r apêl fethu, ond o gywilydd. Wylo am achosi poen a gofid i'm gwraig, a'm plant, a'u gwragedd. Wylo am i mi adael fy ffrindiau i lawr. Wylo am i mi ddwyn anfri ar fy eglwysi ac amharchu fy ngalwedigaeth. Wylo am i mi gyfaddawdu'r dystiolaeth Gristnogol. Wylo hefyd am fod arnaf angen triniaeth, ac na chaf hynny am o leiaf saith wythnos eto. Wylo oherwydd y bydd i mi golli'r Nadolig gyda'm teulu ac fe fu hynny'n bwysig i mi erioed. Wylo am na allwn, er chwilio'n fanwl, weld ewyllys Duw yn y busnes i gyd, ac wylo am fod fy ffydd yn cracio ar ei ymylon ac yn bygwth dadelfennu'n llwyr. Wylo oherwydd y llu o bobl a roddodd o'u gorau i'm helpu—meddygon, cwnselwyr a seicolegwyr, ffrindiau, cydweithwyr, swydd-ogion enwadol—ac eto, fe benderfynodd y barnwr digymrodedd hwn, mewn rhyw ugain munud, fy mod yn annheilwng o'i ymddiriedaeth ef, ac na allwn fanteisio ar driniaeth mewn canolfan trin dibyniaeth ar alcohol a chyffuriau. Cred ef ei bod yn well i mi fod dan glo mewn carchar di-bwynt. Wylo oherwydd ei ragfarn, ac am fod heddiw wedi'm bwrw'n ôl i waelod y dyffryn anobaith tywyll hwnnw y dechreuais ddringo allan ohono.

Heno rwy'n ôl yn edrych i wyneb y tywyllwch du. Edrych arno drwy gil drws yr uffern hwn. Ac ni ddaw cwsg a'i falm. Ysgrifennaf air at Anne, wedi diwrnod blin iddi hithau hefyd.

Pwy ŵyr na ddaw daioni o hyn i gyd? Efallai fod yn rhaid i mi gael fy nghosbi a theimlo'r gosb a'i loes a'i phoen a'i sarhad yn fy rhwygo'n yfflon. Bydd hynny, efallai, yn rhan o baratoi fy hun ar gyfer manteisio ar y driniaeth, maes o law. Beth bynnag sy'n digwydd, yma yr wyf, ar drothwy uffern ei hun.

Yn nhawelwch cymharol y nos daw gwên, wrth gofio'r amser yn y gell gyfyng, anghynnes heddiw. Doedd dim i'w wneud ond hel meddyliau a darllen y graffiti ar y muriau. O ble cafodd yr awduron bensil? Cymerwyd popeth oddi arnaf fi, rhag ofn. Gall dyn ei drywanu ei hun â phensil, ac ymgrogi gyda charrai esgid a gwregys. Ond yr oedd rhai o'r ysgrifeniadau athrylithgar yn fendigedig. Sawl cyd-droseddwr yn amau tadolaeth y barnwr dideimlad, a'r disgrifiadau o'i natur yn amrywio rhwng y doniol a'r creulon. A barnwr arall, un Mc . . . yn cael gwaeth triniaeth. Efallai y gallai fod yn waeth arnaf nag o dan law ddifater y Barnwr B.! Serch hynny, clywais y gwaethaf ynof yn amenio'r gwaethaf o'r ysgrifen ar y mur.

Y mae'n werth cofnodi rhai o'r dywediadau mwyaf bachog ar furiau cell fy nghaethiwed am ddiwrnod hir ac oer.

'Croeso i fyd dy hunllef!'

'Ti wnaeth y cam; gwna dy amser, paid becso dam!'

'Mae "spades" [pobl dduon eu crwyn] yn euog o bopeth yn y lle hwn. Danfoner y diawliaid adre'n ôl.' (Brawddeg wrth fodd ambell Dori o aelod seneddol go flaenllaw ym myd gweinyddu carcharau!)

'Frawd, cred yn Nuw, a bydded i ti lwc.' (Diwinyddiaeth bur amheus, ond diddorol!)

Cwynai un am fod rhywun wedi rhoi micsymatosis i gwningod ac nid i Farnwyr! (Gwell tewi ar hynny.) Y gorau? Yn ddi-os i mi, oedd hon:

'Gyda'm lwc i, petawn yn golomen, cawn fy erlyn am hedfan heb drwydded peilot.'

Diolch am ddawn i chwerthin ym mhob tywydd.

Bûm yn dyst i atgasedd heddiw, hefyd. Wrth gasglu'm pac yn yr adran dderbyn, cael cipolwg ar y driniaeth a gaiff carcharorion a gaethiwyd am gam-drin plant, ar law eu cyd-garcharorion, gyda chaniatâd dilafar y swyddogion.

Carcharor sy'n gyfrifol am rannu'r dillad, ac ati. Gŵr reit ddymunol y cefais i ef, a serchog. Pen wedi ei eillio, a barf fach a mwstás yn britho. Modrwyau ym mhob clust ac un yn ei ffroen. Llygaid bach ofnus a phetrus effro. Dywedodd wrthyf yn y sgwrs gyntaf a gawsom ryw wythnos yn ôl:

'Paid treio'm achub i, ac fe ddown ymlaen yn iawn. Fe roddais i fy enaid i ryw ddiafol flynyddoedd yn ôl. Mae'n rhy hwyr gwneud dim i fi nawr. Jest gad i fi fod, ac fe fyddwn yn ffrindiau da!' Taw piau hi yn wyneb datganiad felly.

Heno, roedd yn dafodrydd, gan ddiarhebu'n ffraeth am y math o berson dieflig a allai gam-drin plentyn bach yn rhywiol.

'Ma'r diawled yn haeddu lot mwy na ma' nhw'n ga'l.

Rwy'n gw'bod be wnawn i â nhw. A dyw e ddim yn neis.'

Wrth newid sach gobennydd y carcharor dan sylw, dyma fe'n gwneud rhwyg yn y gynfas wely cyn ei gosod yn y sach. Sychodd ei sgidiau yn y tywel, a dynnwyd o'r bwndel tywelion budron, beth bynnag. Dewisodd y llestri plastig butraf a mwyaf cracedig—a phoeri, ar ôl clirio'i wddf, i waelod y cwpan. Sychodd ddŵr a baw oddi ar y llawr yn y garthen dyllog, denau. 'Anghofiodd' roi dillad isaf na sanau yn y sach, a dewisodd jîns ddau seis yn rhy fach. Ni feiddiai'r rhai ohonom a safai yn y ciw ddweud dim. Ac o fewn dwylath iddo yn edrych ar hyn â llygaid didaro, a gwên faleisus, yr oedd dau swyddog, heb yngan yr un gair!

Triniaeth annheg? Wrth gwrs. A ddylwn fod wedi protestio? Wrth gwrs y dylwn, mewn byd delfrydol.

Ond yma? Stori arall, mae gen i ofn. Sôn am fradychu cydwybod a chonsýrn at gyd-ddyn, pwy bynnag yw hwnnw! Pwy oedd dda a drwg yn y ddrama fach hon? Wn i ddim. Efallai mai enghraifft o fyd nad yw'n ddu na gwyn ond y cyfan, yn hytrach, yn gymysgedd o raddfeydd o lwydni.

Hydref 7

Pyliau o gwsg tan rhyw bump o'r gloch. Yna, hel meddyliau am y rhai ddaeth i mewn yr un pryd â mi neithiwr. Criw cymysg, a dweud y lleiaf. Dyna'r dyn hwnnw o Gernyw, yn 68 oed, a ddaeth o garchar Caerdydd. Trywanodd ei frawd mewn ffrwgwd yn ymwneud ag ewyllys eu tad. Ac yna un arall tawel yn ei gongl, mewn dillad parchus, a dwyllodd rhyw bêl-droediwr o chwarter miliwn o bunnau. A dyna'r glaslanc hwnnw, truenus a dagreuol, a ddaeth yn yr un bws â minnau o Kingston. Yr oedd yn amlwg yn ddigartref. Bu iddo fygwth, â hanner cyllell boced, rhyw ddyn parchus ar y stryd, wrth ofyn am bres i brynu brechdan. Crwt ar goll! Ac ynadon parchus Kingston, a gaiff yr enw o fod y mwyaf tebygol o garcharu neb yn y deyrnas, wedi ei ddanfon i garchar am wyth wythnos . . . am ei fod yn dlawd a newynog. Gobeithio bod y fainc yn cysgu'n esmwyth.

Hydref 7

Mae'n bryd disgrifio'r gell yma sy'n drigfa i mi. Ffenestr uchel, rhyw wyth troedfedd o'r llawr, nad oes gobaith gweld allan ohoni, ond edrych ar yr awyr. Ffenestr fechan rhwy ddwy droedfedd a hanner wrth droedfedd a hanner ydyw, a thair rhes o farrau. O leiaf mae'n bosibl agor y ffenestr wrth sefyll ar gadair ac ymestyn. Daw dau swyddog bob dydd i archwilio'r barrau, er mwyn sicrhau eu bod yn dal yn eu lle. Mae yma fasin ymolchi, digon o ddŵr oer, a phan fo dŵr poeth, mae'n ferwedig. Mae tŷ bach yn y gell hefyd, a llen denau sy'n cuddio fawr ddim, yn ymgais at breifatrwydd. Gwely dur, a matres dwy fodfedd o drwch. Un gobennydd bach cul a thenau. Tair silff mewn cornel. Cwpwrdd i ddal dillad, a bwrdd. Mae clo ar y cwpwrdd, ond dim goriadau. Cadair galed iawn. Bin sbwriel y mae'n rhaid ei wagio bob dydd. A dyna ni. Offer fy myw am yr wythnosau nesaf.

Unlliw yw pob man. Rhyw felynllwyd annisgrifiadwy. Sgyrtin du a drws dulas. Twll bach yn y drws, a chlo mawr. Nid yw'r clo'n agor ond o'r tu allan, ac ni ellir edrych drwy'r twll ond o'r tu allan. Daw'r swyddogion, yn ôl eu mympwy, i 'dreio'r' clo, ac edrych drwy'r twll. Digwydd hyn ddydd a nos. Mae sŵn agor a chloi'r clo yn ddychryn, fel y mae sŵn y goriadau wrth ystlys y swyddogion a 'chlip-clop' eu sgidiau trymion ar y lloriau concrid caled. Mae'r bollt y tu allan i'r drws yn cael ei wthio i'w le wedi cloi'r drws am y nos, a'i dynnu'n ôl hanner awr cyn datgloi'r drws yn y bore. Mae'n rhaid fod rhyw reswm cudd am hynny, ond ni welaf unrhyw synnwyr yn y peth.

Goleuir y gell gan un stribed bychan. Mae botwm cloch, i'w chanu os yw dyn mewn perygl neu mewn angen dybryd ac anarferol, ond rhoddir pob carcharor ar ddeall nad yn ysgafn y pwysir y botwm hwnnw, ac mai gwell yw anghofio ei fod yno.

Ar ail lawr Aden E y mae'r gell. Tri llawr sydd i'r Aden a 'Bloc' o dan y ddaear. Ni ddaeth dirgelwch y lle hwnnw'n glir i mi, hyd yn hyn. Mae lle i rhyw gant tri deg o garcharorion ar yr Aden pan fo un i bob cell. Ond yr arfer yw rhannu celloedd rhwng dau, ac ar brydiau tri, carcharor. Mae hyn yn rheol ar y llawr uchaf, lle'r â'r carcharorion yn union wedi eu 'derbyn' hyd nes y penderfynir beth i'w wneud â nhw. Mae pob man yn unlliw, felynllwyd, a phob drws wedi'i beintio'n lasddu digalon, ac y mae sŵn y clo a'r bollt alaethus yn swnian drwy'r dydd a'r nos.

Mae dwy rwyd enfawr o fetel cadarn yn hongian rhwng dwy ochr y llawr uchaf a'r ail lawr, rhag i'r un carcharor deimlo'r demtasiwn i ysgafnhau cyfrifoldeb y wladwriaeth amdano, drwy neidio. Os teflir unrhyw beth ar y rhwydau hyn, mae cosb ddifrifol yn dilyn. Mae clwydi mawr cadarn ar un pen i'r Aden, a mur mawr cadarnach ag un ffenestr fach uchel ynddo, ar y pen arall. Mae'r clwydi'n agor i'r 'Canol', rhyw gylch hanner canllath ar ei draws. Yng nghanol hwnnw mae dellt awyru rhyw ddecllath ar hugain ar draws. O dan hwnnw yn y dyddiau gynt y lleolid y ceginau. Ni chaiff neb ond swyddog gerdded ar ben y dellt awyru hwn. Mae cosb enbyd am droseddu yn erbyn y darnau metel cysegredig!

Rhaid i bawb arall ymlwybro o'i gwmpas, yn ôl gwrthdro'r cloc, heb law mewn poced, heb air wrth neb, a heb fod llewys y crys wedi eu troi hyd hanner gwaelod y fraich. (Gellir botymu'r crys wrth y garddwrn, neu ei droi i'r penelin. Ond ddim yn uwch na hynny, na rhwng y ddau! Mae hynny, wrth gwrs, yn rhagdybio fod dyn wedi bod mor ffodus â chael crys o unrhyw fath heblaw crys-T). Mae cosbedigaethau'n dilyn yn union os troseddir yn erbyn y deddfau pwysig hyn. O'r 'Canol' mae clwydi eraill yn agor i'r adenydd eraill. Ceir Aden C a D, lle cedwir y rhai sy'n disgwyl sefyll eu prawf, a'r carcharorion tymor-hir. Ailddodrefnwyd y ddwy, a pheintiwyd y drysau mewn lliwiau gwahanol ysgafn. Mae'r muriau lliw hufen yn ysgafnach hefyd.

Ond stori arall yw adenydd A ac B. Ni welodd y rhain braidd unrhyw newid ers oes Fictoria. Mae hyd yn oed yr agoriadau bychain hynny wrth ochr bob drws clo, lle yr arferai'r swyddogion edrych i mewn i weld sut y deuai'r carcharorion ymlaen â'r unig beth a roddid iddynt i'w wneud mewn dyddiau cynt, sef troi olwyn fawr â'u dwylo neu eu coesau, rhag iddynt fod yn segur! Os barnai'r swyddog fod troi'r olwyn yn rhy hawdd, byddai'n tynhau sgriw yn yr agoriad y tu allan i'r gell, er mwyn gwneud y gwaith yn fwy chwyslyd. Felly y cafodd y swyddogion eu henw arferol: 'Sgriws'.

Heddiw nid oes fawr mwy o waith yn cael ei gynnig i drueiniaid yr Adenydd hyn. Yr unig waith ar gael iddynt, os gallant ei gael, yw gweithio yn y Siop Gwneud Brwsys. Torri tyllau mewn darn o bren a gludio rhyw fath o wrych ynddynt. Gosod coes yn ei le. Y cwbwl am y swm anrhydeddus o ddwy geiniog ar bymtheg y brws. Hynny yw, os digwydd fod wrth fodd y swyddog mewn gofal!

Nid oes yn y celloedd hyn na thŷ bach na basin ymolchi. Mae dau garcharor, ac yn fynych dri neu bedwar, yn bodoli o'u mewn. Rheolir goleuadau'r celloedd o'r tu allan, ac fe ddiffoddir hwnnw bob nos am 9.30, a dyna hi'n d'wyllwch tan y wawr, ac ni ddug honno lawer o olau drwy'r ffenestri bychain. Caiff y carcharorion ddod allan o'r gell i fynd at eu gwaith, os oes ganddynt waith. Os nad oes, cânt ddod allan i gyrchu eu bwyd, ac i 'slopio allan', sef gwaredu'r bwced o'i gynnwys, a'i olchi. Cânt amser, yn awr ac yn y man, i gael cawod a glanhau eu dannedd. Cânt ugain munud o Ecserseis hefyd, fel pawb arall. Ar wahân i hynny, maent yn eu cell am yn agos i ddwyawr ar hugain bob dydd. Pe danfonid fi yno—ac y mae'r bygythiad yn cael ei ddal fel cleddyf Damocles uwch ein pennau i'n cadw rhag troseddu yn erbyn mympwy yr un uwch swyddog—mae perygl i mi fynd yn gwbl wallgof a gwneud rhywbeth hollol ynfyd. Nid yw cyflwr fel hyn yn teilyngu ei ddisgrifio fel 'bodolaeth', heb sôn am fyw.

Mae clwydi eraill yn agor oddi ar y 'Canol' i Aden F, yr aden 'gyfreithiol' a'r aden 'ymweliadau ac addysg'. Mae pethau'n well yma, i bob ymddangosiad allanol, ond mae'r 'Diogelwch' yn dynnach, ac fe hawlir ufudd-dod digwestiwn i unrhyw gais, neu lais gan swyddog. Cerdded ar wyau yw hi yn hanes carcharorion yr aden hon. Nid eir i mewn nac allan heb archwiliad, yn aml o'r math mwyaf personol a chorfforol.

Mae tair aden arall i'r carchar, mewn adeiladau ar wahân. Adenydd G, H a K, yw'r rhain. H yw'r Aden Ysbyty, ac os bu camenwi ar le mor annynol erioed, dyna fe. Nid oes triniaeth ar wahân i bwmpio cyffuriau 'tawelu' i garcharorion. Nid oes gan y meddygon na'r swyddogion ddiddordeb yn y rhai a ddanfonir i'r ysbyty. 'Pobl allan o'u pwyll ŷn nhw. Ddylen nhw ddim bod fan hyn. Pam ddylen ni ddelio â nhw? Cânt bydru o'm rhan i.' Dyna adwaith llawer swyddog, mae gen i ofn.

Yn adenydd G a K mae'r carcharorion sydd yma am droseddau rhywiol difrifol, megis treisio gwraig neu ddyn, yn ogystal â'r rheiny sydd yma yn derbyn eu cosb am droseddau rhywiol yn erbyn plant. Nid yw'n ddiogel i'r rhain fod mewn Adenydd cyffredin. Mae atgasedd creulon a chiaidd tuag atynt, ac fe geir llawer hanes amdanynt yn cael eu cam-drin. Hwy yw'r olaf i'w harwain i'r capel, a hyd yn oed yno mae rhyw is-chwibanu hyll a chas pan ddônt i mewn. Mae rhyw fath o anrhydedd, neu ddiffyg ohono, ymysg drwgweithredwyr! Yn Aden K mae capel bychan go iawn. Ceir hefyd eglwys mewn adeilad ar wahân, at ddefnydd y Catholigion. Mae'r Llyfrgell yn Aden A ac C, a'r fferyllfa a'r feddygfa a lle'r deintydd yn Aden A.

Heno, mae'n noson gyntaf Cyrddau Blynyddol Castle Street. Yma rwyf fi. Rhaid bodloni ar adael pethau i eraill; gwnânt cystal gwaith â minnau, heddiw. Dyna un o'r rhesymau fy mod yn y picil hwn; methu ymddiried mewn pobl eraill, a gadael iddynt fynd ymlaen â'u gwaith. Yr hen hunan-dyb hwnnw'n mynnu credu yn wyneb pob rheswm na allai neb ond fi wneud dim, a bod yn rhaid i mi wneud popeth, a chael fy mys ym mhob cawl. Ynfydrwydd balch! Ac eto, ar yr un pryd, yr oeddwn yn teimlo'n annigonol, yn ddibwys a diwerth. A'r ddeubeth yn milwrio'n erbyn ei gilydd, a f'emosiynau yn faes eu cad.

O leiaf caf gyfle yma i gamu'n ôl, a meddwl dros ryw bethau mewn gwaed gweddol oer. O leiaf, does dim lle i hunan-dyb yn y lle hwn. Ond ni allaf rwystro dagrau'm hiraeth heno, na'r rhwystredigaeth sy'n hollti'm pen.

A dyna beth arall. Fe ddylwn adael i'r dagrau lifo'n amlach—meddant allu i lanhau, rhyddhau a iacháu. Sawl gwaith y dywedais i hynny wrth eraill? (Feddyg, iacha dy hun!) Ond hyd yn hyn nid felly y'm gwnaed.

Gwthio'r teimladau'n ôl ac i lawr fu'm harfer erioed, ac fe delais y pris.

Ond daw cyfle eto, er gwaethaf rhwystredigaeth heno (ac yfory) i glywed, a chael dweud 'yr hen, hen hanes'. O ble'n y byd y daeth geiriau'r hen gân honno'n ôl i mi nawr? Cofiaf ei chanu yn Salem ac yn Elim ac wrth biano Mam, a Nhad a'i denor mwyn yn dysgu'r gerdd a'r geiriau a'r gwirionedd i ni. Ai yn rhywle yn y fan yna y plannwyd hadau'm 'galwad', cyn dyfod ohoni'n fflach fyw ddychrynllyd, a minnau wrth fy ngwaith adolygu ar gyfer arholiad ar ben Mynydd y Gwair? Pwy ŵyr, ond mae'r hadau wedi tyfu'n ambell flodyn prydferth a phersawrus, ar waethaf chwyn fy mywyd diweddar.

Newid cell eto! I rif 37, a minnau newydd daenu 'ngwâl! Caiff Anne sbort pan glyw fy mod wedi dysgu 'gwneud gwely', fy nghas beth o waith tŷ. Ac er mai dim ond rhyw lun o 'wneud gwely' ydyw, mae'n rhoi rhyw bleser plentynnaidd i mi. Mae'n rhaid ei wneud bob dydd a chael y gell yn lân a destlus ar gyfer ei harchwilio gan ddau swyddog bob bore. Dônt i edrych hanes pethau, ac i chwilio am fanion i'w beirniadu. Chwiliant y cypyrddau hefyd i sicrhau nad oes gennym fwy o ddillad na'n haeddiant. Archwiliant y barrau ar y ffenestr, gan eu taro â choes brws. Heddiw penderfynodd Mr L. (swyddog nad yw'n ffefryn gen i na minnau ganddo yntau) fynd ati i archwilio'r barrau â'i ddwylo. Ni sylweddolodd fod yr adar wedi bod yno o'i flaen a chafodd beth sioc, a dwylo drewllyd am ei boen. Cefais ras i beidio chwerthin, fel y cafodd Miss W. hithau.

Yn rhif 31 yr oedd hynny. Symudais, a gosod trefn ar bethau eto a llwyddo eto yn arholiad yr arolwg. Roedd gan Mr L. goes brws y tro hwn a gwg ar ei wyneb yn lle'r wên sarhaus arferol. Nid oedd gair ar ei fin!

Pam y symudwyd fi? Pwy ŵyr? Does dim gwahanol yma i'r celloedd lle bûm cynt!

Dechrau meddwl fod annwyd yn gafael ynof. Yn oer a chynnes ar yn ail a chwyslyd, a'm llwnc yn crafu! Yr oriau hir ac oer yng nghell Kingston sydd ar fai, a pheth sioc, efallai. Ac yn sicr mae effeithiau bod heb alcohol a chyffur yn hawlio'i doll ar fy nghorff. Fe soniaf wrth y nyrs a fydd yn cymryd pwysedd fy ngwaed wedi 'Capel' yfory. Nid fod perthynas rhwng y ddau!

Hydref 8

Yr ail Sul. Diwedd pythefnos yn y lle annynol hwn. O leiaf caf fynd i'r cwrdd heddiw, a gwnaf fy ngorau i beidio â meddwl gormod am golli Cyrddau Castle Street.

Daeth gorchymyn i fynd i'r Capel a minnau ar hanner bwyta fy wy, a fu'n berwi ers neithiwr. Ei adael, heb boeni llawer amdano ac ymuno â'r criw. Galw am ddau gydymaith ar y ffordd—Julian a Kim, dau mor hoyw â dim—a ofynnodd am gael dod gyda mi yn gwmni, am nad oeddynt yn deall y drefn. Dau newydd i'r Ffydd a ddaeth yn Gristnogion tra oeddynt yn y carchar. Bodlonais ar eu cwmni a chofiais alw amdanynt.

Iwcarist Anglicanaidd oedd yr oedfa, mewn Gymnasiwm, a wnâi'r tro fel capel hefyd. Y muriau wedi eu haddurno â darluniau o waith y carcharorion, a phedwar ar ddeg safle'r groes yn arbennig o effeithiol. Allor ganolog ac o'i deutu dau furlun mawr, un o'r Bugail Da, a'r llall o'r Fair dduaf a phrydferthaf a welais yn unlle. Tra'n bod yn cael ein harwain i mewn fesul trŵpiau o ryw ddwsin, canai'r piano yn effeithiol—meistr wrth ei waith, mae'n amlwg. Gwelais mai boi a fu yn y gell nesaf ond un i mi ydoedd. Deellais wedyn mai pianydd proffesiynol oedd Peter, yma am flacmel yn erbyn swyddog eglwysig gweddol uchel! Jan y caplan yn arwain y gwasanaeth a'r gân, mewn llais pêr a melodaidd. Tom y prif gaplan yn gyfathrebwr meistraidd. Nid pregethu a'i ben yn y cymylau na'i feddwl mewn esboniad a wnâi hwn. Gweithio allan ei ddiwinyddiaeth gyda'i bobl ac o'u profiadau, a'i gyflwyno yn eu hiaith. Pregeth ar Mathew 5; 21-24, ar y thema 'Perthyn'. Syml, cymen, effeithiol a thrawiadol! Dyna beth yw cyfathrebu! Gwyn fyd na fyddai llawer gweinidog ac offeiriad yn meddu ar yr un ddawn, heb sôn am aml leygwr/wraig. Faint o wersi ac arweiniad mewn cyfathrebu effeithiol a gaiff ein cyw-bregethwyr y dyddiau hyn, 'sgwn i? Bydd meddu ar bob doethineb a gwybodaeth yn ofer os na lwyddwn i gael pobl i wrando.

Rhyw ddau gant a hanner o ddynion oedd yn yr oedfa, a Jan, yr unig ferch. Y canu 'côr meibion' amrwd, llawn bywyd, yn tynnu'r to i lawr, a llawer 'Haleliwia' ac 'Amen' yn torri'n orfoledd oddi ar wefusau duon digywilydd eu ffydd. Cymun effeithiol iawn, a'r allor a'r gwisgoedd gwyrdd, aur a gwyn yn codi ysbryd dyn yn y lle di-liw a diysbryd hwn. Nid pawb ddaeth at yr allor, ond daeth canran uchel i geisio'r elfennau neu fendith yr offeiriad; oedfa fythgofiadwy mewn lle rhyfedd, a gafodd effaith arhosol arnaf. Rywsut, cododd yn ôl i frig f'ymwybod y ffydd honno yr oeddwn yn ofni fy mod yn ei cholli.

[Nid hon oedd yr oedfa olaf i mi fod ynddi. Bûm yn y capel bron bob Sul wedyn, mewn oedfaon yn cael eu harwain (ar wahân i'r Iwcarist) gan grwpiau o'r eglwysi duon lleol. Gwres y tân a'r dystiolaeth syml yn codi calon gywilyddus Cristion a syrthiodd yn ysglyfaeth i batrymau sidêt ein traddodiad, nad yw ond gwag mewn llawer llan a chapel erbyn hyn. Bûm hefyd yn achlysurol, er ei bod yn fwy anodd wedi dechrau 'gweithio', yn y cylch trafod ar nos Fercher. Yr oedd yn gyfle i gwrdd â chyd-Gristnogion ac ymholwyr, er bod lefel y trafod yn weddol ddi-fflach a'r 'addoli' yn ddibatrwm a braidd yn rhy syml i'm blas i. Ond fe gefais rywbeth allan ohono, petai ond cymdeithas. Ac yn rhyfedd iawn ni fûm i mewn unrhyw oedfa erioed na chefais i ddim allan ohoni. Mae'n dibynnu i raddau ar faint mae dyn yn ei roi i mewn iddi.

Oedfa fydd yn sefyll yn fy nghof am oes yw honno ar Dachwedd 14, ac mewn ystyr yr oedd yn dda gennyf nad oedd fy nhymor wedi dod i ben cyn iddi ddigwydd. Gwasanaeth Bedydd a Chonffermasiwn, ar nos Fawrth. Pump carcharor yn derbyn Bedydd Esgob, tri yn cael Conffermasiwn, ac un yn aildynghedu ei addewidion i aelodaeth eglwysig. Cynulleidfa fach, ac oedfa fawr, yng nghapel go iawn, os bychan, Aden K, na chaiff carcharorion cyffredin fynd iddo fel arfer. Esgob Kingston yn dyner ac effeithiol iawn wrth fedyddio, derbyn aelodau a rhannu'r cymun. Cael sgwrs fer ag ef dros baned o de. Rhyfedd fod bois y gegin yn gallu troi allan ddanteithion mor hyfryd, a hwythau'n cynhyrchu lwtsh diflas a di-lun bob dydd!

Cefais fendith o lawer oedfa fach yn fy nghell hefyd, a dysgais lawer am werth y gweddïo personol, 'pwyntiedig' hwnnw y mae llawer yn anghyfforddus o'i blegid. Ond dyna angen ein pobl pan fyddwn yn ymweld â nhw ar adegau allweddol llawen a thrist eu bywydau. Nid ystrydebau di-bwynt a digyfeiriad, ond gair personol, a gweddi gafael-yn-y-llaw, enaid-yn-cydio-wrth-enaid.]

Mesur pwysedd fy ngwaed. Ychydig yn uchel ond nid yn beryglus.

Cinio, a . . . NEWID DILLAD.

Prynhawn Sul (dau o'r gloch) yw'r amser i gyrchu dillad glân ar gyfer yr wythnos ddilynol. Pawb yn rhes at un drws ar ben draw'r Aden. Dau garcharor o'r tîm glanhawyr, a Swyddog, Mr D. gwyllt ei gam a'i dymer, yn ffws a sŵn i gyd. Cymryd popeth oddi ar y gwely, ac nad oeddem yn ei wisgo, a'i gyfnewid 'un am un'. Yna, tynnu amdanom, yn y fan a'r lle . . . popeth . . . a newid eto 'un am un', ac ailwisgo. Yr un peth gyda rasal—cyfnewid hen un arw am un newydd—er nad wyf yn siŵr fod pob un yn dod o'r bocs 'newydd'. Os cwynai rhywun am y drefn neu deimlo gormod o embaras i newid yn gyhoeddus, (ac fe hawlia haearn yn y meddwl) yna doedd dim amdani ond bod heb ddillad glân, a mynd 'ar riport'. Golygai hynny ymddangos ger bron un o benaethiaid y swyddogion, a cholli rhai o'r dyddiau a dynnir oddi ar amser dyn yn y ddalfa. Dyna fel yr oedd pethau. Leiciwch y drefn neu lwmpiwch hi! Ac fe luniwyd y drefn hon i greu embaras. Ei hamcan yw darostwng dyn hyd y llawr a thorri ei ewyllys, ac y mae pawb yma yn yr un twll. Pleser, serch hynny, oedd cael dillad glân, er bod y trôns yn rhy fawr a'r jîns yn methu cau am y wasg, a'r llodrau'n llusgo wrth fy sodlau. Ond gellir troi'r rheiny i fyny. O leiaf maen nhw'n lân, am ddiwrnod neu ddau—a chrys-T a thrôns i newid. A rasal â min arni.

Dim 'Cymdeithasu' heddiw. Prinder staff, medden nhw. Felly dim cyfle i ffonio na chael sgwrs na phapur newydd. Bûm yn weddol llwyddiannus, hyd yn hyn, drwy beidio â mynd i wylio'r fideo, i fod yn weddol agos at flaen y ras am y saith papur a ddaw i'r Aden bob dydd.

Drws clo felly am dri, tan 7.45 bore yfory. Noson a fydd fel oes. Cael mynd allan i nôl swper, a chyrchu tabledi. Rhyw ddynes faleisus o Awstralia (petai hynny o bwys) yn eu hestyn fel tase hi'n talu amdanynt. Ei thafod a'i geiriau o'r un natur â'i gwg. Nid gweddus croniclo'i geiriau i un truan a anghofiodd ei gerdyn ID. Heb hwnnw, nid oes dim i'w gael ond tafod a chosb.

Hydref 10

Codi, a'm pen yn hollti! Bûm mewn rhyw banic ers i mi ddeffro. Nid oes esbonio arno ond yn nhermau ymateb fy nghorff i'r ffaith fod y cyffuriau a'r alcohol wedi eu gwahardd i mi. Ac mae'r corff hwnnw, a fu mor ddibynnol arnynt, yn gwrthryfela. Teimlo fel dringo'r muriau, a churo'm pen yn erbyn yn drws a thynnu 'ngwallt o'i wreiddiau a malu ewinedd yn ddarnau. Ond i beth? Fydd neb yn sylwi dim. Ni wnaf ond achosi poen i mi fy hun.

Brecwast fel arfer.

Clywed rhyw bŵr dab yn cael pryd o dafod hallt a chernod am feiddio galw un o'r swyddogion yn 'gariad'. Mae'n well gan y merched 'Miss' neu 'Swyddog'. Y dynion yn *weddol* hapus gyda 'Syr' neu 'Guv', yn enwedig y rhai uchelgeisiol. Ar dro, bydd 'Mêt' yn dderbyniol gan rai.

Mr D. yn fy ngalw i'w ddilyn. Gwaith!

Un o'r glanhawyr yn y llys. Felly, am heddiw, rhywbeth i'w wneud! A *rhywbeth* yw'r gair! Brwsio a mopio un llawr o'r Aden yn y bore, ac ail-wneud yr un peth yn y prynhawn. Rhwng hynny, cyrchu a hulio cinio, ac ar derfyn y prynhawn, hulio swper. Yna am 7, mynd â the i'r carcharorion caeth ar lawr tri. Gwaith diflas, undonog, ond o leiaf fe'm cadwodd allan o'r gell, ac fe gefais sgwrs â hwn a'r llall. Ond gwaith i dorri calon dyn ydyw.

O leiaf fe chwysais yr hen annwyd o'm corff, ac effeithiau boreol yr ymryddhau rhag alcohol. Heno daeth Keith, a fu yn y llys, yn ei ôl. Felly dim gwaith yfory, medd Mr D. 'ond bydd gen i rywbeth i ti 'mhen diwrnod neu ddau'.

Hydref 14

Gwir ei air. Daeth i mi heddiw y swydd aruchel o lanhawr, a hynny'n swyddogol. Codi am 6.30 yn barod ar gyfer gwaith y dydd.

Rhaglen y dydd, mae'n debyg, fydd:

7.30-8.30	Nôl y brecwast o'r gegin.
8.30-8.45	Rhannu'r brecwast.
9.00-9.30	Brecwast.
9.30-10.30	Yn ôl â'r certiau i'r gegin.
10.30-11.45	Glanhau.
11.45-12.00	Nôl y cinio o'r gegin.
12.00-12.15	Rhannu'r cinio.
12.15-1.00	Cinio.
1.00-2.00	Hamdden, ar glo yn y gell.
2.00-3.45	Glanhau.
4.15-5.00	Nôl swper o'r gegin.
5.00-5.15	Rhannu'r swper.
5.15-5.45	Swper.
6.00-7.15	Cymdeithasu (os bydd staff).
7.15-8.00	Dŵr poeth i garcharorion ar lawr 3.
8.00-8.15	Paned a chlirio gêmau.
8.15	Drws clo.

Ac am hyn fe gaf gyflog anrhydeddus o 65 ceiniog y dydd! Rwy'n gyfoethog! Caf hefyd got wen a menig i drafod llestri poeth, menig plastig cadarn i wneud y gwaith budr, brws, mop, sebon llawr a sgrwbiwr. Cefais lawer o dynnu coes am y got wen, ond o leiaf byddaf allan o'm cell ac fe fydd yn byrhau peth ar y dyddiau hir a diflas.

Gorfod newid cell eto! I lawr i Lefel 1 â mi, ac arwydd ar y drws yn dweud mai cell glanhawr yw hon ac nad oes mynediad i unrhyw garcharor arall. A hynny oherwydd fod yn rhaid i ni gadw peth offer glanhau yn ein celloedd ac ni ellir fforddio gadael i ddwylo carcharorion cyffredin ddod yn agos at drysorau felly. Clo a goriad ar gypyrddau'r gell hefyd, nid i ddiogelu fy eiddo i, ond i gadw eiddo'r carchar yn ddiogel! Cael rhybudd gan Mr D. i ofalu cloi'r cypyrddau a chadw'r goriad 'o gwmpas fy mherson bob amser'. Rhaid fy mod yn edrych yn dwp. 'Ma' lot o ladron mewn lle fel hwn, Evans!'

Defnyddiais un cwpwrdd i gadw'm dyddiadur a'm llythyron ac ambell rigwm a ddaeth o'm henaid. Ŵn i ddim pam y cuddiaf y rheini, chwaith—fyddai neb yn eu deall pe gallent ddarllen y llawysgrifen!

Cael trefn ar y gell o'r diwedd, cyn noswylio. Darganfod fod gan y swydd aruchel hon deitl a disgrifiad swydd: GLANHAWR RHIF 8. Pwy yw'r lleill? Caf weld yfory.

Hydref 15

Tasgau'r dydd yn ddigon tebyg i'r rhai a gefais ychydig ddyddiau'n ôl. Ond mae Glanhawr rhif 8 yn gyfrifol am dair agwedd arbennig. Yn gyntaf, gofalu casglu cyn brecwast bob bin sbwriel a'u dodi wrth glwyd yr Aden. Mae rhyw ddeuddeg ohonynt. Gwneir hyn cyn gwneud dim arall—hyd yn oed cyn nôl y tabledi a'r brecwast.

Yn ail, glanhau y 'Recesses' (yr enw hynod ar y mannau y cymerir cawodydd). Sgrwbio'r lloriau, a sychu'r lle-golchi-dwylo ar dair llawr yr Aden. Ond y gwaith pwysig yw glanhau tai bach ('Ystafelloedd gorffwys') y swyddogion, un i'r merched ar yr ail lawr a'r dynion ar y trydydd. Rhaid golchi'r gawod, a'r basingolchi-dwylo, mopio'r llawr, ond yn bwysicach na dim rhoi sglein (gyda pholish) ar bibelli copr a dur yr ystafelloedd hyn. Mae'r prif swyddog yn ystyried y pibelli'n bwysig iawn!

O leiaf, mae hyn yn golygu fy mod yn gweithio ar fy mhen fy hun, gan nad wyf yn hoff iawn o 'nghyd-weithwyr ar y tîm glanhau. Nid priodol na doeth fyddai gwneud hynny'n hysbys iddynt, chwaith. Yr eithriad yw Pete, fy nghyd-letywr, gynt.

Y Bòs yw Glanhawr Rhif 1. Bachgen tua 25 oed, sydd yma'n disgwyl ei ddedfryd ar ail gyhuddiad o ddwyn moduron. Dedfrydwyd ef eisoes i dair blynedd ar gyhuddiad tebyg. (Cafodd fynd yn ddiweddarach i garchar agored.) Yna mae Rhif 2, ei ddirprwy. Tua'r un oed, a mop o wallt coch, ac wyneb o liw tebyg. Mae yma am wyth mlynedd am werthu cyffuriau, yn ogystal â'u cymryd ei hunan. Ei fusnes ef yw'r ail, ond mae'r cyntaf yn codi fy ngwrychyn. Mae denu eraill i afael y cythraul sy'n y cyffur yn atgas gennyf! Pan ofynnais iddo pam y cymerodd ran yn y fasnach hyll, ei ateb haerllug oedd fod ganddo gariad a gwraig wedi'i hysgaru i ofalu amdanynt, a dau o blant gan un a thri gan y llall.

Yna mae Pete, sydd yma am iddo daro cwsmer y tu allan i'r clwb lle gweithiai fel gwarchodwr, a Leroy, a drywanodd gwsmer a wrthododd dalu am yr heroin a werthai. (Cafodd ddedfryd o dair blynedd ar ddeg, ac aeth yn ddiweddarach i garchar 'diogel' ar Ynys Wyth. Credaf iddo estyn gormod o dafod ar ambell swyddog.) Y ddau hyn sy'n gyfrifol am y llawr cyntaf.

Ar yr ail lawr, mae J.J. a Mohammed, ac ni ddeuthum ar draws dau mwy diog erioed. Golwg flin ar Mohammed bob amser, a J.J. â gwên gellweirus, er nad yw ei lygaid fyth yn gwenu. Nid gwiw croesi'r un o'r ddau. Mae Mohammed yma am iddo dorri bysedd un o'i gydweithwyr i ffwrdd. Gweithio mewn caffi yr oedd, a dyna pam na chafodd waith yn y gegin, am wn i. Trosedd J.J. oedd dwyn moduron a'u hailwerthu, ac ymfalchïa iddo wneud ffortiwn fach! Rhif 5 a 6 sy'n gweithio'r llawr uchaf. Keith, bachgen digon diniwed a ffeind yr olwg, sydd yma fel finnau am yrru o dan ddylanwad alcohol, heb yswiriant na thrwydded. Cafodd lai o gosb na mi—dim ond tri mis. Ei bartner, Thomas, o rhywle yn y Caribî. Mae ganddo bâr o ysgwyddau fel wardrob! Mae'n ddu fel y frân, a'i wên yn fasg i guddio y tu ôl iddi. Deuthum innau'n arbenigwr ar y grefft honno hefyd. Ni chaiff neb wybod pam y mae yma, ond y mae yma am dair blynedd.

Pwy a beth ac ymhle y mae rhif 7? Ni ŵyr neb, a does neb yn malio.

Dyna'r tîm felly! Ni ellir honni fod y gwaith yn ddiddorol. Ac fe all fod yn galed iawn, ac undonog. Sgwrio'r cawodydd, mopio lloriau yn y 'Recesses', golchi pob basin golchi dwylo, llusgo biniau sbwriel, llathru pibelli hyd at sglein-gweld-wyneb-ynddynt. (Cefais 'fonws' o £1, un wythnos, am fod y rheiny'n dderbyniol!) . . . a'r cyfan ddwywaith bob dydd, nes bod dyn fel peiriant robotaidd yn mynd a dod, gan afael mewn offer heb feddwl, ac eto'n cadw'r llygaid ar agor rhag sylw swyddog neu bresenoldeb carcharor milain. Nid lle i fod ynddo ar fy mhen fy hun, a'r drysau ynghau, mo'r 'Recesses'. Does dim eisiau rheswm nac esgus ar rai carcharorion blinedig a blin i daro'r peth cyntaf a welant. Ac mae tawelwch cymharol y 'Recesses' yn benthyg ei hunan i beth felly. Gwn fod Pete yn cadw llygad hefyd, a Keith, chwarae teg iddynt. Blinedig erbyn y nos! Dyna un o fendithion gwaith corfforol . . . cael bod ynghwsg ynghynt! Ond os pery hyn yn rhy hir, fydd dim ohonof ar ôl.

Hydref 17
Er i mi deimlo'r peth ers dyddiau, heddiw, am ryw reswm, y daeth hagrwch hyll ac annynol Blociau A a B i'm hymwybod.

Bob bore, wedi brecwast, a chyn cyflawni'r un dasg arall, rhaid cario'r biniau sbwriel o'u lle wrth y glwyd, i lawr dros rhyw bump ar hugain o risiau tro cul, o dan lygad barcud Mr D. ac un swyddog arall. Llwytho'r biniau'n daclus, heb dorri'r un, i gert fechan. Mae dau ohonom yn mynd â'r llwyth i'w losgi, tra bod y lleill yn mynd i lwytho'r llestri brecwast i dri chert arall, a chasglu tair cert arall eto o Aden C a D. Mae certiau agored i gario'r llestri metel sy'n dal dŵr poeth neu de, a chertiau caeedig, poeth i gario'r bwyd, a'r ychydig sy'n sbâr ohono yn ôl i'r gegin . . . Syndod i mi oedd gweld cyn lleied aeth yn ôl i'r gegin ar wahân i'r uwd a'r Smash. Ond wedi'r cyfan, does dim arall i dorri ar undonedd y dydd heblaw ambell bryd bwyd.

Wedi i Mr D. gael caniatâd o'r swyddfa ddiogelwch ar ei radio, awn â'r certiau i'r gegin. I gyrraedd honno rhaid mynd naill ai drwy Aden A neu Aden B.

Drwy Aden A yr aethom hyd heddiw, ond nawr dyma ni'n tramwy ffyrdd Aden B. Agoriad llygad, er i mi gael fy rhybuddio amdani, ac i ymbaratoi ar gyfer sioc i'r system—sioc ddiwylliannol yng ngwir ystyr y gair. Os bu Uffern ar y ddaear, dyma hi, ac rwy'n dewis y geiriau'n ofalus. Clywais sôn am yr Aden hon, ond ni allai unrhyw ddisgrifiad fy mharatoi yn llawn ar gyfer y profiad o'i gweld a'i harogli! Yr oeddwn wedi synhwyro ofn ac arswyd y carcharorion rhag cael eu danfon iddi, a chredais yn fy niniweidrwydd mai tynnu coes oedd llawer o'u rhybuddion i gadw fy ffroenau ynghau, a'm llygaid, os gallwn. Yn sicr fe ddylwn ffrwyno fy nychymyg, a brysio drwyddi'n gyflym. Ond dweud llai na digon a wnaethant. Yr oeddwn yn ddiolchgar fod gweddillion yr hen annwyd yn dal yn fy ffroenau. Diolchais hefyd am y realistiaeth hanner-sinicaidd hwnnw y mae dyn yn ei fagu wedi blynyddoedd o fyw a gweithio mewn dinas fawr amrywiol.

Gwthiais fy nghert yn ôl i ganol oes Fictoria! Hawdd oedd dychmygu cymeriadau Dickens yn y celloedd hyn. Gwaeddai popeth ei neges o ddiflastod, digalondid, sarhad, a chywilydd. I'm cyfarfod dôi dynion yn cario bwced a charthion y nos i'r 'Recess'. Tra bod y rhain wrthi ar un ochr, roedd eraill o flaen rhes o sinciau Belfast ar yr ochr arall, yn ymolchi a glanhau dannedd, a'u llestri bwyd. Rhyw wyth troedfedd o'r fynedfa i'r 'Recess' honno, roedd y man lle rhennid y bwyd i'r carcharorion. Pan fo arogl y ffa pob a'r cabaits, a'r grefi llawn pupur, yn cymysgu ag arogleuon amheus carthion dynol yn dod o'r Recess . . . na, does gen i ddim geiriau i'w ddisgrifio. A dyna'r unig dro, ar wahân i Ecserseis, y cânt fod allan o'u celloedd! Ar yr adegau prin hynny pan y cânt ganiatâd i gael bàth . . . (does dim amser gan y rhan fwyaf ohonynt i gael cawod iawn) . . . rhaid iddynt groesi iard agored, trwy ddwy glwyd i'r 'Bath House' yn eu dillad isaf (trôns yn unig), sgidiau a thywel bach. A dyma ninnau yn ein parchusrwydd a'n syberwyd 'gwar-eiddiedig' yn condemnio ymerodraethau totalitaraidd, a'u carcharau creulon. Y fath ryfyg haerllug! Mae'r Gweinidog Cartref yn honni fod hyn i gyd yn 'gyfiawn' ac mai dyna mae 'cymdeithas' yn ei hawlio. Os hawlia 'cymdeithas' hyn, nid yw'n gymdeithas wâr. 'Sgwn i a fu ef yn arogli tawch hen fwydydd, hen chwys, a hen garthion, yn cyd-gymysgu'n gyfoglyd? Nid gwâr unrhyw gymdeithas sy'n trin dynion yn waeth nag y mae'n trin ei hanifeiliaid! Ac y mae llefarydd yr wrthblaid yntau'n sôn am glirio'r meddwon, y jyncis, a'r tlodion oddi ar y strydoedd moethus. 'Gwareiddio'r strydoedd,' medd ef. (Ar gyfer pobl neis anwar, fel yntau, mae'n debyg.)

Mae'n rhan o baratoad ynad a barnwr i ymweld â charchar, ond ni allaf gredu fod pobl fel hyn (y mae'r rhan fwyaf ohonynt yn gyfrifol a sensitif) yn cael gweld y darlun cyfan, ac yn sicr y darlun ar ei waethaf! Ni allaf gredu i 'bileri cymdeithas' . . . 'pobl dda solet' . . . heb sôn am 'bobl well' . . . weld y lle dieflig hwn. Nid oes iddo ond un pwrpas, yn ôl a welaf i—cosbi'n anllad, heb bwrpas ond gwaradwyddo carcharorion. Y mae'r rhan fwyaf ohonynt eisoes wedi gweld y tywyllwch, ac edrych, fel finnau, drwy ddrysau uffern.

Nid carcharorion 'peryglus' sydd yma. Nid llofruddion a threiswyr. Pobl fach yw'r rhan fwyaf, a rhai fawr hŷn na phlant, a wnaeth un camgymeriad twp, a'r canlyniad yw gosod eu traed ar risiau cyntaf coleg y drwgweithredwyr, a dechrau gyrfa o fyw y tu allan i'r ddeddf, i mewn ac allan o garcharau.

Hydref 19

Gwaith ychwanegol heddiw. Gorfod helpu'r ddau ddiog ar lawr 4 i glirio celloedd y carcharorion a symudwyd i Aden arall, neu i garchar arall, neu hyd yn oed i'w cartrefi. I rai ohonynt, nid oedd dewis ond defnyddio'r tocyn bws neu drên, yn ôl i'r ddinas fawr ddigroeso, a'u gwelyau concrid, ac y mae'r gaeaf yn cyflym ddod, a'r nosweithiau'n oer a hir.

Wn i ddim sut gyflwr sydd ar gartrefi rhai pobl. Gadawyd rhai celloedd mewn cyflwr ofnadwy. Budreddi na welais ei fath . . . bwyd . . . carthion . . . papur . . . sigarennau . . . llwch . . . baw . . . hen fwyd . . . dillad gwely wedi eu rhwygo . . . dychmyger ef, ac yr oedd yno. Yn union fel petai lleng Gadara wedi rhuthro drwy'r lle ar ei ffordd i'r dibyn. Diolch am fenig rwber trwchus, a mop a brws dolen hir, ac am ffenestri all agor!

Dim archwaeth at swper . . . er bod digon ohono heno, a dewis da. Ond mae arogl y celloedd cyfoglyd yn aros yn fy ngheg.

Hydref 20

Cael golwg heddiw ar sut y gall pethau fod yn Aden B. A ninnau ar ein ffordd trwodd i'r gegin, mae Mr D. yn derbyn neges na allai neb na dim symud yn y cyffiniau hynny nes i lorri gludo nwyddau gael ei gollwng drwy'r glwyd. Felly aros amdani, a Mr D.—sydd fel wenci wyllt bob amser—yn fyrrach ei amynedd nag erioed, a hynny'n gwneud i ninnau fod ar bigau'r drain. Ond aros fu raid, am dros awr. Ni chaem eistedd . . . doedd dim lle i eistedd! Ac os sylwai arnom yn pwyso ar ddolen y gert, esgorai hynny ar eiriau dethol iawn!

Aeth Mr D. a'r swyddog arall drwy ryw chwech sigarét a'r gweddill o'r tîm, pawb ond Pete a minnau, nad ydym yn 'smygwyr, yn gwneud eu gorau glas i ymestyn y mymryn baco oedd ganddynt. Rhyfeddais eto at grefft y sawl sy'n rowlio'i sigarennau ei hun. Ceisiais wneud hynny un tro pan oedd y chwyn sawrus yn fy meddiant, ond methais yn lân. Bu'n gymaint methiant â'm hymgais ar y pryd i roi'r gorau i'r baco. Mae'n syn gen i mor hawdd oedd imi roi'r gorau iddo yn ddiweddarach. Mwy syn, a minnau'n cael gafael y ddiod mor ddiatal. Mae'r arbenigwyr yn dweud mai nicotin yw'r cyffur anoddaf i roi'r gorau iddo. Ond croes i bob deddf fûm i erioed! Ond rwy'n crwydro.

Bu'n awr anodd i mi yn y twll tanddaearol—cymysgedd o aroglau drewllyd yn bygwth fy nhagu, a mwg yr aml sigarennau yn dyblu'r effaith. Ond gallwn ddioddef hyd yn oed hynny, pe na bai'n rhaid gwrando ar sgwrs liwgar ei iaith y ddau swyddog. Sgwrs rhyngddynt hwy oedd hi, ond yn ddigon uchel i ni glywed, a theimlo. Ac yr oedd y rhwystredigaeth a anwyd o'm hofn i ddweud dim yn boen meddyliol a chorfforol, gan fy mod yn fy nal fy hunan mor dynn. Yr oedd arnaf ofn dweud dim . . . yr oeddwn wedi gweld effaith 'ateb yn ôl' ar eraill, mewn trais geiriol a chorfforol . . . ac eto roedd yr hyn a glywais yn loes i mi.

Testun y sgwrs oedd dynion duon, ac Asiaid brown a melyn (geiriau'r swyddogion, nid fi). Bu'r swyddog tal, ifanc, siaradus, aml ei reg, a gynorthwyai Mr D., ar wyliau yn y Caribî. Ac wrth gwrs, fel y rhan fwyaf o Saeson da, meddai'r ddawn i ddadansoddi natur a bywyd y 'brodorion' yn feistraidd a llwyr yn y cyfnod byr hwnnw. Ei farn bendant ef oedd mai 'diawliaid dioglyd, budr, twyllodrus, rhywiol-gynhyrchiol ŷn nhw'. A'r dynion yw'r rheiny! Mae'r gwragedd yn waeth . . . 'yn boethach na meicrodon'. Dyna hyd a lled ei wybodaeth o gymdeithaseg ac electroneg! Aeth y ddau ymlaen, ar linellau tebyg, i ddadansoddi gwendidau 'diawliaid melyn o'r Dwyrain', . . . Indiaid a Pacis'. Ac am yr Arabiaid doedd dim gobaith. Duw a'n cadwo rhag y rheiny! Fe fyddai sgwrs fel hon yn annerbyniol pe golygid y peth fel hwyl, ond yr oedd y ddau o ddifrif calon. Ac yr oedd amryw o'r Tîm Glanhau yn perthyn i'r union genhedloedd y cyhoeddent farn arnynt mor huawdl a rhagfarnllyd. Ond ni faliai yr un o'r ddau ddim am hynny. Roedd eu hatgasedd o bawb ond Saeson wedi gwreiddio'n rhy ddwfn yn eu hymwybod. Atgasedd oedd testun y bregeth fawr, a gweld pobl atgas ganddynt o'u cwmpas a enynnodd wres tân y geiriau chwerw. Efallai mai ceisio ein cynhyrfu ni oedd yr amcan. Os felly, bu'n llwyddiant, ac fe fu Leroy'n ddigon ffôl i syrthio i'r demtasiwn gan ateb yn ôl a dweud rhywbeth am 'Saeson twp di-ddysg a diddiwylliant'. Torrodd hynny i'r byw, ac am wn i mai dyna un o'r rhesymau iddo gael ei symud i garchar 'diogel' yn ddiweddarach. Ar y pryd, cafodd dafod a theimlo dyrnau am ei drafferth.

Amdanaf fi, cynhyrfwyd fy enaid. Teimlwn fy nhymer yn codi wrth yr eiliad, a'm pen yn berwi gan rwystredigaeth. Dechreuodd y swyddogion wedyn ar y Gwyddelod. Doedd dim lle i rai fel hwy mewn cymdeithas o bobl deidi. 'Ac am y Padi diawl 'na, sydd ar eich Aden chi, IRA yw'r cythraul . . . dim amheuaeth. Mae yn ei wyneb! All e ddim cuddio'r peth oddi wrthyf fi. Ac mae e byth a hefyd yn ateb 'nôl. Lle gwaeth na hwn ddyle fe ga'l.'

Ymlaen a'r gân, nes iddo gofio mai Cymro oeddwn i. 'Dwed rwbeth yn y sŵn hyll 'na sy 'da ti, Evans!' Dweud dim, ond llawer gair digon anweddus ac angharedig yn troi yn fy meddwl, hefyd. 'Na. Ddwedi di ddim. Twyllwyr diawl yw pob un ohonoch chi. Dwyn pres pawb a byw ar gefn Saeson. Ni sy'n eich cynnal chi. A ni yw'ch gwell hefyd!' Dilynwyd hyn gan sylwadau plentynnaidd a chwerthinllyd am arferion rhywiol fy nghydgenedl— 'pobl y blydi bryniau 'na— gydag anifeiliaid, yn enwedig defaid'. Ac am ein hiaith, a'n hacen wrth siarad Saesneg, iaith goethaf y byd i gyd, doedd dim i'w ddweud ond chwerthin yn dosturiol. Fe ddylai pawb yn y byd siarad Saesneg, beth bynnag, a dim ond Saesneg. Petai'r ddau ohonynt wedi gwrando arnynt eu hunain yn siarad, ac ar eu hacenion a ddragiwyd o waelod y sach Seisnigaidd, efallai y byddent yn dawelach. Oherwydd tawelu a wnaeth pawb arall. Ciliodd y gwaed o'm hwyneb; arwydd sicr fod fy nhymer ar ddiflannu'n llwyr, a'r folcano ar ffrwydro . . .

Ond taniodd radio Mr D. a daeth Rhagluniaeth i

ganiatáu inni symud i'r gegin. Arbedais gweir a chosb bellach, yn sicr. Diolch i ba dduw neu ddewin a'm harbedodd rhag cosb sicr, colli fy swydd a'm symud i aden arall. Gwelais hynny'n digwydd droeon i'r sawl a 'estynnai dafod'.

Eto ymdeimlais â'r diflastod hwnnw a ddaw i mi wrth sylweddoli fel y mae ofn yn tagu'r gydwybod fywiocaf, a diogelu fy nghroen fy hun yn mygu gonestrwydd. Y mae arnaf gywilydd o'r ddau swyddog diwardd, ac ohonof fy hunan. Trefn sy'n esgor ar gywilydd ar ben cywilydd yw hon.

Hydref 24

Brecwast fel arfer, ond llwyddo i gael darn o dost sych a thenau, sef brecwast y llysieuwyr am heddiw. Ar y ffordd i'r gegin, dyma chwiban swyddog o bell. 'Panic', a chaf sôn am hynny eto. Gwaeddwyd y gorchymyn arferol, 'Tu ôl i'r drysau', a chaewyd ni, chwech ohonom, mewn cell ar Aden B. Blas ar sut y gallai fod arnom. Tri gwely, bwrdd, un cadair, bwced, yn llenwi'r gell, cyn i ni fynd iddi! Safem mor agos at ein gilydd nes bod rhyw ran o'r corff yn cyffwrdd rhywun arall o bob cyfeiriad. Sylweddolais eto pa mor annynol oedd y lle. Tri yn trigo yn y gell hon, mewn rhyw gan troedfedd sgwâr o le llawr. Muriau dulas, a drws du. Ceisiodd y trigolion ysgafnhau peth ar y lliwiau digalon drwy hongian lluniau merched lluniaidd o dudalennau'r *Sun* a'r *Star*. Ambell lythyr, a darlun o wraig a phlant, yn rhyw atgof poenus fod yna fyd gwell, gwahanol, er ei fod y tu hwnt i obaith ar y pryd.

Ni pharhaodd y 'panic' hwn ond am hanner awr. Crynais wrth feddwl am ddiwrnod, heb sôn am fisoedd, yn y gell nad yw'n ddigon da i gadw creadur, heb sôn am ddyn, ynddi.

Digwyddiad rhyfedd a'm siglodd braidd wrth ddod 'nôl o'r gegin y bore 'ma. Cerddem yn fwy hamddenol nag arfer gan fod Mr D. ar wyliau, a'r cyflymdra arferol wedi arafu dipyn. Mae Mr G., Gwyddel braf a charedig, yn fwy didaro ynglŷn â phethau ac yn fwy parod ei sgwrs. 'Pa frid o leian yw honna, Evans?' gofynnodd. Am gwestiwn twp mewn carchar i ddynion! Doeddwn i erioed wedi gweld lleian o unrhyw fath yn agos i'r lle, ac ar ben hynny synnais nad oedd ef yn gwybod y gwahaniaeth rhwng lleian a lleian. Mewn sgwrs a gawsom ein dau ar y ffordd i'r gegin, un noson, i chwilio am ragor o gig i swper, dywedodd wrthyf iddo fod yn 'Babydd Da' yn ei blentyndod, ond iddo 'golli'r awydd' wedi dod i Loegr i fyw. Hanes llawer Cymro, hefyd!

Heddiw, pwyntiodd ei fys at ddarlun yn hongian ar fur y tu allan i un o gelloedd Aden B. Gwaith carcharor ydoedd, ac i'm llygaid hawdd-eu-plesio yr oedd yn dda. Llun mawr rhyw ddwylath wrth lathen. Ond ei destun wnaeth i mi sefyll yn stond. Y 'Beguinage' yn Bruges—ynys o lonyddwch tawel yng nghanol prysurdeb twristaidd camlesi'r ddinas hardd honno. Treuliodd Anne a minnau wyliau braf yno, y gwyliau olaf cwbwl lawen a gawsom cyn i'r gelyn fy rhwydo'n llwyr a chyflawn. Cerddasom lawer awr yn y gerddi tawel ac ar hyd y lawntiau distaw, heb ddim ond sain ambell aderyn, si y gwynt, a siffrwd gwisg ambell leian ddedwydd yn gwmni. Credaf i Mr G. sylwi ar y dagrau a gronnodd yn fy llygaid, a'r lwmp yn fy ngwddf wrth fethu ateb ei gwestiwn. Cyflymodd ei gam, ac yn ôl i'r Aden â ni. 'Gwell i ti gael deg munud i ti dy hunan. Dere i weithio pan fyddi di'n barod.'

Cymerais ef ar ei air, ac wylais yng nghell unig fy nghaethiwed yn chwerw dost wrth gofio doe mor felys, a gweld heddiw mor ddu a llawn euogrwydd a chywilydd. Wn i ddim a yw dagrau yn weddi. Mae'n rhaid eu bod, oherwydd teimlais eu grym iachusol heddiw, a diolchais hefyd am ynys fach o garedigrwydd a chydymdeimlad yn y lle dideimlad hwn.

Hydref 25

Noson hir heb fawr o gwsg, dim ond hel meddyliau a'r rheiny'n annifyr. Hanner-cysgu yn awr ac yn y man, a'r meddyliau'n troi'n hunllefau hanner-effro. Dymuno gweld y wawr, a hithau'n hir yn dod. Croesawu hyd yn oed y swyddog hwnnw sy'n troi'r golau ymlaen yn nhywyllwch perfeddion nos, ac edrych trwy ei dwll bach yn y drws, i weld a ydw i'n fyw ac yn iach. Teimlo fel codi fy llaw i'w gyfarch, ond efallai nad yw mewn hwyliau da. Gwell peidio cynhyrfu'r dyfroedd! Pob math o hen boenau'n dod yn ôl heno. Y chwysu oer, a'r cryndod cynnes. Y cur pen a'r chwydu gwag. Yr hen symptomau yn f'atgoffa o afael yr hen elyn. Fe fydd yn rhoi atgofion fel hyn i mi am sbel, medden nhw—efallai am oes. Ond ni fydd yr atgofion yn ofer. Fis union, yn ôl y calendr, y bûm i yma. Credais y byddai sgil-effeithiau'r ddiod wedi mynd yn llwyr. Ond fe fydd y 'cysgod-effeithiau', chwedl y meddyg, yno am amser hir, o bryd i'w gilydd. Rhyfedd pa mor ddwfn yr ymdreiddiodd y cyffur i'r cnawd a'r meddwl. A haws yw cael gwared o'r stwff o'r corff nag o'r meddwl a'r emosiwn! Yr eironi yw nad oes dim all leddfu'r annifyrwch ond rhagor o alcohol. Dyna gyfrinach ei rym. Ond heddiw, a phob amser pan ddêl oriau fel hyn, does dim ond dal yn dynn hyd nes fod cymalau'r llaw yn gwynnu!

Mae'n rhaid 'mod i wedi cysgu, rywbryd cyn y torrodd y wawr, er ei bod yn anodd gwybod pa bryd y tyr, gan fod llifoleuadau'r iard yn troi nos yn hanner dydd yn y gell. Deffroais â 'mhen yn hollti a 'nghorff yn chwys diferol oer. Yr oedd y byd i gyd yn gwegian ac yn troi, a minnau gydag ef. Ac yna rhyw sŵn, o bell yn rhywle, fel rhywun yn ceisio cychwyn hen beiriant pwdlyd. Ymlaen ac ymlaen, yn diwn gron o rŵn diflas, undonog, a'r morthwylion yn fy mhen yn troi'n ordd gadarn, ddiollwng.

Beth yn y byd sy 'na? Wedi i'r bore dorri trwodd yn llwyr i'm hymwybod, sylweddoli nad o bell y deuai'r sŵn annaearol, ond o'r tu allan i'm ffenest fach. Nid oedd y peiriant ond un o'r colomennod digalon, hyll, afiach sy'n trigo yn y lle hwn. Penderfynodd ddod i fyw ar fy ffenestr i. Fe roddwn y byd y bore 'ma am gael yr aderyn bach hwnnw, y bu i mi gwyno cymaint o'i blegid ef a'i drydar, yn ôl. Gwell ei glebran gwag na'r grŵn digalon hwn!

Ond rhaid codi, a pharatoi ar gyfer y gwaith diflas. Mynd i mewn, nid yn fodlon, i rigol ddiddiwedd y gert a'r bwyd a'r sgwrio a'r sgleinio, y rhegi a'r gweiddi, y gwylio a'r condemnio, y rhybuddio a'r bygwth, a'r cywilydd di-ildio. Ac y mae mwy na mis i fynd eto! A all fod mis arall ar y calendr? A ddaw diwedd ar hyn rywbryd? Heddiw, mae'n anodd gen i gredu hynny. Wylwn pe gallwn wylo, ond heddiw ni ddaw dagrau. A does neb a glyw, na neb yn malio dim. Anghofiodd y byd amdanaf.

Hydref 28

Bûm yn ddigalon ers dyddiau. Neb yn galw heibio, a methu cael rhyddid i fynd at y ffôn, chwaith. 'Dwy ddim yn un hawdd byw gydag e ar hyn o bryd. Ac nid doeth dweud dim wrth neb.

Rywsut, mae'r ffaith fod heddiw'n ddiwrnod da a lwcus i ddau gymydog o garcharor yn duo'r cwmwl sydd uwch fy mhen. Un ohonynt, Rastafariad o'r enw Joseph, a fu yma am ddwy flynedd, a'i gydymaith mewn drygioni, Jay, sy'n dipyn o gymeriad doniol, a thynnwr coes heb ei ail, a fu yma am yr un tymor—y ddau am ddelio mewn cyffuriau, cocaine yn bennaf ac Ecstasi. Heddiw cânt eu traed yn rhydd. Buont ar eu huchelfannau drwy'r nos, ac ni chafodd neb gwsg, yn sŵn eu canu croch, a'u chwerthin. Ymffrost Jay, yn fost i gyd, yw na ddaw e fyth yn ôl i le fel hwn. Mae Joseph yn fwy tawel, a realistig efallai. 'Hen fois' yr Aden wrthi'n agor llyfr i gymryd betiau (mewn baco, bisgedi, ambell gyffur cuddiedig, a siocled) nid *a* ddaw e'n ôl, ond *pryd*.

Chwarae teg, ni wahoddwyd fi i rannu yn y loteri arbennig hon—nid o barch i'm swydd, ond am y gwyddent yn iawn nad oeddwn yn 'smygwr, nac yn cymryd cyffuriau, fy mod yn bwyta'r bisgedi, a byth yn prynu siocled.

Mynd wnaeth y ddau, yn gynnar bore 'ma, yn llawen ac yn sŵn bostfawr. Bydded bywyd yn garedig wrthynt. Cael mynd i'r cantîn y bore 'ma. Dyna un o fanteision bod yn lanhawr. Cawn fynd i'r cantîn, cyn bod y 'dorf' yn dod. Cael prynu cerdyn ffôn, a stampiau a phapur. Mae mwy o arian yn y 'banc' nawr, a minnau'n ennill mor dda! Gallaf ffonio Anne i gael yr hanes, a ffonio Sant Joseph i gael gwybod y trefniadau ar gyfer fy nhriniaeth. Mae'n rhaid i mi a neb arall gymryd y cam hwnnw. Ni dderbyniant fi am driniaeth os na ofynnaf fi amdano, er fy mwyn fy hun. Rhaid i mi gael mynd yno'n syth wedi dod allan o'r lle hwn, rhag gwastraffu gwerth y carcharu a'r cosbi. Fe'm iselhawyd, ac y mae hynny'n rhan o'r broses o fy nghodi ar fy nhraed. Rhaid oedd i mi fynd i waelod y dyffryn, ac i olwg uffern, cyn gweld y ffordd yn ôl.

Steffan, Almaenwr o Stuttgart, dinas nid anhoff, nac

anadnabyddus imi, yn dod i geisio cymorth. Cawsom sgwrs fer wrth ddod o'r capel un bore, ac wedyn ar Ecserseis. Mae yma am dair blynedd oherwydd iddo dorri rhyw ddeddfau cymhleth yn ymwneud â mewnforio moduron. Heddiw, a'i Saesneg yn glogyrnaidd, eisiau cymorth i ysgrifennu at ei gariad yn Ealing yr oedd. Ei gwrteisi naturiol yn ennyn gwên a gwerthfawrogiad (nid yn aml y'm cyferchir fel Pfarrer), ond rwy'n ei chael yn anodd cyfleu teimladau pobl eraill.

Cafodd Steffan swydd yn y llyfrgell. Sut y bydd hi arno yno, a'i Saesneg mor brin?

Hydref 29

Ddiwedd y bore, a minnau'n cael hamdden cyn mynd i nôl y cinio, dyma fachgen ifanc tua 25 oed i'r gell, mewn coler gron, crys glas a chroes bren yn hongian wrth ei wddf. Yr unig gaplan na welais mohono hyd yn hyn. Steven, Methodist sy'n gweithio yma'n rhan amser, ac yn gofalu am bedair eglwys. Mae'n ffeind a charedig, yn addfwyn a difeirniadaeth. Cyffesodd fod yn well ganddo'r gwaith yn y carchar na gofalu am ei eglwysi 'henffasiwn a disymud', sef eglwysi o bobl barchus, ddosbarth canol, wynion, nad oedd ganddynt na diddordeb nac awydd i wynebu anghenion y byd amlhiliol, digapel, y tu allan i'w muriau solet a sidêt. Nid ydynt namyn llin yn mygu.

Tîm rhyfeddol yw'r gaplaniaeth yma, a'm hedmygedd ohonynt yn tyfu'n ddyddiol. Fe wn i hyn—ni allwn i wneud eu gwaith. Fe wn hefyd, os oes unrhyw weinidog o ferch neu fachgen ifanc yn dymuno 'gweld y byd', ac yn barod i wynebu her gyda gwên anfeirniadol, yna mae yma faes gweinidogaeth cwbwl arbennig, un aberthol, heriol, galed, sydd ar brydiau yn dwyn ei wobr. Yn sicr fe ddug fendithion mawr yn gymysg â rhwystredigaethau.

Dyna Tom y pennaeth—Anglican, a chyfathrebwr medrus, effeithiol a beiddgar. Cuddia'i wên y tu ôl i farf fawr frith. A Jan, merch ifanc o Anglican yn ei hugeiniau, sy'n briod ag offeiriad. Patrwm o fugail dilol, difaldod, ond yn gariad i gyd. Garwach yw allanolion Tom o Fyddin yr Eglwys. Mae'n gadarn a chryf ei farn, a digymrodedd ei ffydd. Mae Alice o un o'r eglwysi duon newydd. Mae hi'n rhoi pwyslais mawr ar Fedydd yr Ysbryd Glân a bedydd trochiad crediniol, ac yn rhyw amau 'mod i'n llac iawn ar y materion hyn. Daw Kathryn, yn gariad i gyd, o blith y Pentecostiaid, a'i ffydd ar ei llewys. Soniais eisoes am Steven, y Methodist bachgennaidd, addfwyn ac am gaplan Byddin yr Iachawdwriaeth. Mae dau offeiriad Pabyddol, ac y mae ganddynt hwy eglwys wedi ei chysegru yn y carchar, sydd yn llawn ar gyfer yr Offeren dydd Sul, a chynhelir Offeren ar nos Sadwrn er mwyn cwrdd ag angen y carcharorion Catholig. Mae'r Tad Michael yn ŵr cyhyrog, enfawr, a rhyw haenen ormesol yn ei osgo a'i agwedd. Tawelach yw'r Tad Michael, a doniolwch tafodrydd y Gwyddel yn byrlymu ohono.

I'r sawl sy'n perthyn i 'grefyddau eraill', mae gofal bugeiliol gan Rabbi, offeiriad o grefydd Islam, ac offeiriad o grefydd yr Hindu. Os oes 'eraill' eto, trefnir yn ôl y galw.

Gweinidogaeth gwrando yn hytrach na dweud yw hi, ac y mae'r ddawn honno yn brin ymhlith gweinidogion cyfarwydd â'r pulpud hwnnw sydd chwe throedfedd uwchlaw beirniadaeth ac anghytundeb! Mae tyrfa yn y cyfarfodydd cyhoeddus bob amser, ac fe welaf gaplan ar ymweliadau mynych â phob cell, gan aros i sgwrsio lle cânt groeso.

Cofiaf ofyn i Jan pam y deuai cymaint i'r Cwrdd. Gwenodd ei gwên fach awgrymog, ac eglurodd i un diniwed fel fi bod amryw o resymau.

Daw rhai i addoli am eu bod yn meddu ar Ffydd. Dônt i geisio sagrafen yr addoliad a'r bara a'r gwin. Daw eraill am eu bod yn chwilio am Ffydd, ac eraill am eu bod yn hoffi'r canu. I rai, dyw'r oedfa'n ddim ond esgus i gael dod allan o'u celloedd am ysbaid, a phwy all eu beio? Daw rhai i gyfnewid baco a chyffuriau, a newyddion. Daw eraill, meddai Jan, i edrych arni hi ac i edmygu ei choesau (a hithau'n ymwybodol o'i dengarwch heb gywilyddio am ei effaith ar ddynion caeth). Daw rhai heb reswm o gwbwl. A dyma fi yn fy ngweinidogaeth bob dydd yn becso am resymau pobl ffyddlon a theyrngar, ac yn clebran am ddifrawder.

Beth bynnag am gymhelliad y rhai oedd yn bresennol, ym mhob un o'r cyfarfodydd crefyddol y bûm i ynddyn nhw o fewn muriau llwyd y carchar, fe gefais fod Duw yno. Yn y capel, yn fy nghell, ym mherson pobl, ac yn rhyw fath o bresenoldeb anniffiniol, yr oedd y Rhywbeth hwnnw, na alla i ond ei alw'n Dduw. Ac fe fu sylweddoli hyn yn ddarpariaeth angenrheidiol ar gyfer y datblygiad ysbrydol rhyfedd a ddigwyddodd i mi yn Sant Joseph.

Hydref 30

Bore fel arfer, nes i'r un olaf gael ei frecwast. Dyna chwiban! A honno'n weddol agos. Y waedd arferol 'Tu ôl i'r drysau!', a'r swyddogion yn rhedeg fel ceffylau gwyllt . . . rhai'n cloi pob drws, gan wthio'r carcharorion i mewn, eraill yn tynnu llenni i guddio pob ffenestr, fel na allai neb ohonom weld yn iawn beth oedd yn digwydd, a'r lleill i gyd i'r 'Canol', gan ysu am frwydr, ac ymosodiad.

PANIC! Dyna'r enw 'swyddogol'. Cawsom ein rhybuddio amdano o fewn oriau wedi cyrraedd y carchar. Yr unig ymateb derbyniol yw rhuthro'n ddigwestiwn i'r gell, neu'r 'Recess' agosaf, ac aros yno, heb edrych allan, nes daw swyddog i agor y drysau. A dyna'r ymateb callaf hefyd, oherwydd nid un i sefyll yn ei ffordd yw swyddog mawr cyhyrog ar ras!

Mae dau arwydd o Banic: sŵn chwiban a sŵn cloch. Os chwythir chwiban, mae rhywun yn ymosod ar swyddog. Os mai cloch a glywir, carcharorion yn ymladd â'i gilydd yw'r drafferth. Mae'r ymateb i'r chwisl yn gyflymach! Heddiw: chwiban! A dyna chwech ohonom yn bendramwnwgl i gell Rhif 1, gan nad oedd ef yn ei gell ar y pryd. Clywed, heb fedru gweld dim (ac mae hynny'n caniatáu i'r dychymyg hedfan), rhyw druan yn cael ei lusgo gan sgrechian mewn poen, a'i daflu dros y grisiau concrid i'r Bloc. Ac yna tawelwch, nes i chwerthin grŵp o swyddogion godi arswyd arnaf.

Pam y mae'n rhaid i garcharorion gael eu cynhyrfu i'r fath raddau fel eu bod yn taro'i gilydd a tharo swyddogion? Gan fod ambell swyddog yn mynd allan o'i ffordd i chwilio am gyfle i daro carcharor, ac yn gwneud ei orau i gynhyrfu dyn, oni ddylai dyn ddysgu meithrin gras ataliol? Serch hynny, rwy'n deall y rhwystredigaeth. Mae'n cyrraedd tymheredd berwi drosodd yn y mwyaf amyneddgar o ddynion; rhaid bod ar wyliadwraeth barhaus o'n teimladau. Gofynnwn gwestiwn heb gael ateb, neu gael tri ateb gwahanol. Mae'r drefn yn ddieithr, ac yn ddibynnol ar fympwyon ac ar gryfder pastwn swyddogion. Cymer swyddog yn ei ben nad yw'n hoff o ambell garcharor, ac fe â'r truan hwnnw yn gocyn hitio beunyddiol! Ceir atgasedd hiliol ar ran y swyddogion hefyd. Ni welais bob swyddog yn y carchar, mae'n wir, ond ychydig o rai tywyll eu crwyn a welais . . . dim ond pump. Lle da i fwydo casineb gwrth-hiliol!

Ceir Panic o ryw fath yma bob dydd. Deuthum i ddeall erbyn hyn pan fo rhywbeth difrifol, fel ymosodiad ar swyddog, neu ymgais i gilio, yn digwydd. Ac y mae'n braf bob amser cael hanner-clywed ar radio'r swyddog agosaf . . . 'Body found' . . . 'Return to normal duties' . . . 'Unlock prisoners'. Mae cynnwrf yn effeithio ar bawb, ac y mae'r swyddogion ar bigau'r drain am oriau wedyn. Cofiaf Banic rhyw wythnos yn ôl, pan ymosododd carcharor arall ar Giorgio, gan gicio'i goes friw nes iddo syrthio, a dal i'w gicio ar y llawr. Cariwyd Giorgio i'r ysbyty. Daeth yn ôl mewn plastr mawr, ddoe, a'i ben-glin wedi ei thorri. Yn syth ag ef i'w gell. Ni ŵyr neb a all gerdded fyth eto: ond yn ei gell y mae! Nid yw hynny'n cymharu â'r driniaeth gafodd yr un a ymosododd arno. Ni allai'r swyddogion guddio dim y tro hwn gan i'r ymosodiad ddigwydd yn y 'Recess' ar adeg Cymdeithasu. Ni allent ein cael i'n celloedd, dan glo cudd. Ymosodwyd arno'n giaidd â phastwn, dwrn ac esgid. Tri swyddog oedd yno'n gyntaf, ond daeth pump arall i fwynhau'r ffrwgwd. Cadwyd y gweddill ohonom ar un ochr i'r Aden gan swyddogion o'r lloriau uchaf. Llusgwyd yr un euog o'r diwedd, yn waed i gyd, gerfydd ei wallt a'i draed, a'i hanner daflu i'r Bloc. Dychwelodd y swyddogion, pawb ond Mr B., fel pe na bai dim wedi digwydd. Un teimladwy yw Mr B. ac yn ddiweddarach synhwyrais fod arno gywilydd o'i gyd-swyddogion, ond ni châi ddangos hynny.

Saif digwyddiad arall allan yn fy meddwl hefyd. Chwiban hir, a'r gorchymyn arferol, a'r rhedeg ras swyddogol i fod yn gyntaf yn y drin, a ninnau dan glo cadarn . . . pawb ohonom ond un carcharor, Steve ddiniwed, nad oedd i bob ymddangosiad yn perthyn i'r un byd â ni. Yn sicr nid oedd ynddo ddrwg na niwed. Ond ni fu iddo symud yn ddigon cyflym, pan orchmynnwyd iddo fynd i'w gell, a gwaeth fyth, bu'n ddigon ffôl i ofyn 'Pam?' Gwthiwyd ef yn erbyn mur, yn ddiseremoni, a syrthiodd yn swp i'r llawr. Gwelais y cwbwl, y tro hwn, a minnau'n sefyll ar fin sbwriel yn y 'Recess', a'i llen heb ei thynnu i lawr. Sôn am thygs mewn iwnifform! Daeth o leiaf saith swyddog i ymosod arno, ac yntau ond yn fychan o gorffolaeth. Y tristwch i mi oedd gweld yr Uwch Swyddog a'r Prif Swyddog yn ymuno yn y busnes. Llonyddwyd Steve o'r diwedd, wedi i un swyddog afael yn ei wallt a tharo'i ben yn erbyn y llawr caled. Nid aiff ei sgrechfeydd yn angof. A phan adawyd ni allan, ni welem ond dau swyddog o'r adran feddygol yn golchi'r llawr, a Steve yn mynd yn llwyth diymadferth i'r Bloc.

Fe fu nifer o enghreifftiau fel hyn. Roedd cam-drin pobl yn batrwm, nid yn eithriad. Gair efallai am y Bloc yma. Ei enw llawn yw 'Y Bloc Disgyblu'. Lleolir ef yn seler Aden E, ac nid oes mynediad iddo ond i swyddogion yr adran Ddisgyblu. Un drws sydd iddo, ac fe ddeuir at hwnnw ar waelod rhyw 24 o risiau concrid. Y tu hwnt i'r fynedfa, mae dau ddrws solet. Deallem fod yno 10 cell, heb ddrws na ffenestr na muriau yn agor i'r coridor. Ceir dwy gell ychwanegol, heb na gwely na chadair, na dim ond bwced. Ac fe lusgir y carcharorion yno, heb ddillad, ond trowsus bach. I'r fan hon y teflir y mwyaf anhyblyg. Eu gwely yw silff goncrid, a'u hunig gyswllt â'r byd yw ffenestr fechan mewn mur solet ac uchel. Triniaeth ddynol? *Choelia i fawr!*

Tîm glanhawyr Aden E oedd yn gyfrifol am fwyd y Bloc. Ond rhaid gadael yr holl fwydydd ar dop y grisiau concrid, i'w casglu gan *un person,* a hwnnw'n unig oedd yn gyfrifol am fwyd y lle. Bodlon oeddwn ar hynny. Os oedd Aden A a B yn fygythiad, gwaeth fyth y Bloc.

Dangosodd rhywun y 'Swyddog Disgyblaeth' i mi. Cawr o ddyn. O leiaf chwe throedfedd a hanner! Ysgwyddau'n siwtio'i daldra. Gwddf fel tarw, a gwep fel petai wedi ffraeo â'r byd. Pen moel fel bwled, yn sglein i gyd, a'i gerddediad bwriadol a'i ddyrnau mawr yn awgrymu trwbwl! Ei gydymaith, Miss W., tua'r un siâp, ond ychydig yn fyrrach. Ac eto yr oedd rhyw olau yn llygaid honno. Ond cadw'n glir o'r golau, rhag ofn mai mellten yw, sydd orau.

Tachwedd 1

Y Prif Swyddog mewn hwyl fileinig heddiw. Tri o'r tîm heb eillio, ac yn cael pryd o dafod hallt! Ble mae e'n meddwl mae e? Yn y Savoy? Ac yna cwyno bod ein cotiau gwynion yn fudr! Ond ni chawsom rai glân ers dyddiau. A dyna estyn tafod ar Mr D. wedyn, a hwnnw'n ei dro yn ein tafodi ninnau. Ond fe â'r ddau adref wedi cinio! Mae'r busnes eillio 'ma'n ddoniol. Nid oes hawl gan neb i 'newid ei olwg' tra mae yn y carchar, heb ganiatâd Uchel Swyddog. Mae cael caniatâd yn broses hir. Os oes gan ddyn farf wrth ddod i mewn, felly y bydd pan â allan! A'r un yw'r stori gyda gwallt hir.

Mae'r drefn bwydo carcharorion yr un mor ddoniol drefnus. Caiff pob un, wrth ei 'dderbyn', blât, cwpan, basin, cyllell, fforc a llwy . . . pob un yn blastig glas neu wyn. Gelwir pawb i fwyd, fesul llawr, a'r dull o'u galw yw fod y swyddog cyfrifol yn gweiddi rhif y llawr, nerth ei ben. Os na chlyw neb, ni fydd bwyd!

Mae gan bob glanhawr safle arbennig. F'un i yw 'Menyn' amser brecwast, 'Tatws' amser cinio a swper. Wrth symud ar hyd y rhes, ceir bara yn gyntaf (dwy dafell i frecwast a swper), yna menyn, bagiau te (tri am ddiwrnod). Amser swper, caiff pawb lond llwy gawl o siwgr, ond swyddog sy'n gyfrifol am hyn! Yna daw'r prif enllyn, rhyw gig, a thatws a llysiau (cabaits gwyn gwlyb fel arfer). Mae hefyd rhyw felysfwyd diflas, a chwstard wrth y peint i'w ganlyn! Rhaid cario'r cwbwl yn ôl i'r gell a'i fwyta yno, yn unig a chyflym. Ceir dewis o fathau o fwyd. Bwyd cyffredin; bwyd i lysieuwyr; bwyd di-borc; bwyd *Kosher*; bwyd ar gyfer anghenion meddygol.

Mae'r egwyddor yn ardderchog. Ond pan nad yw brecwast llysieuwyr namyn darn o dost sych ac uwd, a phan roddir bacwn yn wledd i'r sawl sydd ar restr y rhai sydd am fwyd di-borc, yna rhaid holi ambell gwestiwn! Ar y cyfan, digonol a diflas yw'r bwyd, ac yn gwbwl annerbyniol. Ond nid oes dewis. Rhaid ei fwyta neu lwgu.

Tachwedd 3

Noson ddi-gwsg. Rhyw gynnwrf yn y gwersyll tuag un o'r gloch, a deall yn ddiweddarach fod rhywun ar landin pedwar wedi taro Miss K., un o'r swyddogion sgrech-lyd! Cafodd hithau, ac yntau, gweir go dda, yn ôl yr hanes! A dyna ddigon o reswm i'r swyddogion fod wrthi drwy'r nos yn edrych ein hanes drwy'r twll bach sbio. Doedd dim modd cysgu a'r golau'n dod ymlaen a'r glicied yn agor bob rhyw hanner awr! Ond rhaid fy mod wedi hanner cysgu tua phump o'r gloch. Ymhen dim yr oeddwn yn effro eto. Sŵn! Rhyw grafu, ac yna tawelwch, ac yna'r crafu'n dechrau eto, a thawelwch. Beth yn y byd sy'n digwydd? Meddyliais ymhen amser i mi leoli'r sŵn; deuai o'r dellt awyru, ac nid oedd hwnnw'n sownd iawn. Crafu eto, a thawelwch ar yn ail. Beth oedd yna?

Llygoden! Ni allai fod yn ddim arall, ac un enfawr, yn

fy marn i. Doedd dim fedrwn i ei wneud ond troi'r golau ymlaen ac eistedd ar y gwely, a'r llyfr trymaf oedd gen i yn fy llaw, ac esgid wrth fy ymyl, rhag ofn! Daeth y wawr, ac ni welais yr un lygoden, na chlywed yr un sŵn wedyn. Ond ar y pryd, yr oedd arswyd arnaf. Dygodd ar gof i mi am John, a bechodd un o'r uwch-swyddogion mwyaf pigog, Mr C. Heb holi dim, a heb sôn am geisio ateb, i ffwrdd â John i Aden B, lle rhannai gell â dau jynci ar ganol ymryddhau o afael cyffuriau. Cyffesai fod drewdod y bwced a'r chwydu, heb sôn am y cwyno a'r sŵn, yn droëdig ac yn codi ofn arno. Ond pan ddaeth yn nos, ac yntau'n ceisio cysgu, teimlodd a chlywodd sŵn chwilod duon yn cripian dros y llawr a thros ei wely. Roedd y truan sensitif yn swp sâl wrth adrodd yr hanes. Ac y mae'r lle i fod yn lân, ac i fod i gael ei archwilio'n rheolaidd.

Tachwedd 4
Dydd Sadwrn, a phopeth fel arfer, ar wahân i'r ffaith na fydd yn rhaid gweithio y prynhawn 'ma, yr unig amser hamdden yn yr wythnos. Ond bydd yn rhaid hulio'r bwyd, wrth gwrs! Rywbryd yn ystod y bore, edrychais ar fy wats, a gweld nad oedd ond yn 8 o'r gloch! Y batri wedi trengi.

Llwyddo i ffonio Anne, a chael ganddi ddod â rhyw lun o wats arall i mi ar ei hymweliad y prynhawn 'ma. Daeth, ond dim wats! Bu'n rhaid iddi drosglwyddo honno i'r Adran Dderbyn, a chan nad oes hawl i neb fynd yno i gyrchu ei eiddo ond ar fore Sadwrn, bydd yn rhaid aros am wythnos arall heb wybod pa amser o'r dydd yw hi. Mae'r lle 'ma'n ddigon i ddrysu dyn ar y gorau, ond heb wybod beth yw hi o'r gloch fe fyddaf ar goll yn llwyr. Bydd perygl i mi golli pob cyfeirnod, heb sôn am fy mhwyll. A rhyw ddewin yn peri i mi edrych ar fy ngarddwrn bob yn ail funud, a dim yno ond gwên ddisymud, wawdlyd yr hen wats dwyllodrus yn ateb i mi.

Yr unig gloc yn y lle yma yw hwnnw yn y Canol. Ond bob tro yr af yn agos at y clwydi i dreio gweld yr amser, fe ddaw rhyw waedd fygythiol gan fy ngalw'n ôl. A does dim egluro na rhesymu. Er gofyn i amryw ohonynt, rwy'n amau na fu i un o'r swyddogion roi'r amser cywir i mi.

Daeth arnaf ryw iselder diobaith, ar goll, di-afael-ar-ddim, yn enwedig wrth ddeffro yn hanner-tywyllwch y gell, heb wybod yn iawn ai dydd ynteu nos ydoedd. A hynny am wythnos.

Mae i bob cwmwl ei olau. Y prynhawn 'ma, wedi ymweliadau, dyma lanc ifanc, di-wallt, ac yn llawn clust-dlysau, yn dod ataf, a gofyn a garwn gael radio. Eglurais nad oedd gennyf ddim i'w roi iddo'n gyfnewid amdani.

'Paid â phoeni, ei chael hi wnes i. Rho di hi i rywun pan ei di o' ma. Rwy i'n mynd fory.'

Gwyn ei fyd pan ddêl ei awr yfory i anadlu awyr iach, a bendith ar ei garedigrwydd. Bydd yn braf clywed lleisiau o'r byd rhydd.

Tachwedd 6

Wedi gwaith y bore, a minnau'n setlo i ysgrifennu pwt yn y dyddiadur, dyma ddrws y gell yn agor, a dau swyddog yn cerdded i mewn—yn ddiwahoddiad, fel arfer. Heb air o eglurhad dyma'r ddau yn eistedd ar fy ngwely.

Beth nawr? 'Dwy ddim yn cofio gwneud na dweud dim allan o'i le, na bod ar 'riport', na gwneud cais am weld neb. Dechrau teimlo'n oer a chynnes, bob yn ail, a'r blewyn bach hwnnw ar fy ngwar yn sefyll yn syth.

Nid oeddwn ymhell o grynu. Beth allai fod ar feddwl y rhain? Daeth golau yn y man. Mr H. (dyn du hardd a golygus, gŵr bonheddig a theg) ddechreuodd y sgwrs, ac ymunodd Miss K. ynddi, hwnt ac yma. Daeth yn amlwg fod y ddau yn ei chael yn anodd deall fy sefyllfa i . . . 'mod i'n weinidog . . . 'mod i mewn carchar . . . a 'mod i yno am fod alcohol wedi troi'n feistr arnaf. Doedd y cyfan ddim yn gwneud synnwyr iddynt, o fewn y ffrâm grefyddol arbennig y trigent ac y meddylient ynddi. Cristnogion Ceidwadol ac Efengylaidd ydynt, ac yn ei chael yn anodd deall fod y diafol wedi cael gafael yn un o 'ddewis bobl yr Arglwydd' (eu geiriau hwy, nid fi). Methu deall y berthynas rhwng cosb a maddeuant, rhwng euogrwydd ac edifeirwch. Doedd arna i fawr o hwyl diwinydda nac athrawiaethu'n systematig, a bu'n rhaid iddynt fodloni ar wrando ar ddiwinyddiaeth fy mhrofiad. Wn i ddim a oeddent yn deall mwy wedi ein sgwrs. Ond rhyfedd o fyd! Mr H. yn arwain mewn gweddi cyn iddyn nhw fynd 'nôl at eu dyletswyddau. Un o'r oedfaon bach rhyfedd hynny nad â'n angof gennyf!

Y Tîm Glanhau yn dawel iawn amser cinio a neb yn awyddus i siarad llawer â mi. Rhif 1 yn fy ngalw o'r neilltu, a dweud wrthyf am wylio fy nghefn. Mae nod amheuaeth arnaf o ganlyniad i bresenoldeb y ddau swyddog yn fy nghell.

Tachwedd 7

Aeth gwg fy nghyd-weithwyr yn dduach heddiw. Rywbryd yn y prynhawn oedd hi. (Does gen i ddim syniad o amser o hyd.) Ymwelydd arall, a swyddog arall.

Mr K. a darn o bapur yn ei law. Cawsom sgwrs fach o'r blaen, a gwn fod ganddo ddiddordeb yng Nghymru a'r pethau Cymraeg. Dymuna ef a'i wraig fynd yn ôl i Fôn pan ddaw'r dydd i ymddeol. Mae'n ceisio prynu tŷ yno, ac enw hwnnw yw Tŵr Celyn neu Trwyn Celyn neu Twyn Celyn. Roedd yn awyddus i gael cyfieithiad. Eglurais nad wyf yn arbenigwr, ac hyd y gwelwn i fod y tri yn gwneud synnwyr. Ond yr hyn sydd fwyaf tebygol yw fod rhyw Sais wedi camddeall yr 'Holy' yn 'Holyhead' a chyfieithu 'Holly head' i'r Gymraeg fel Trwyn Celyn. Efallai 'mod i'n gwbwl bell o'r marc, ond swniodd fel petai'n fodlon. Bu ar Gwrs Carlam i ddysgu'r Gymraeg. Dysgodd ei ddau blentyn yr iaith pan oeddynt yn yr ysgol leol ac yntau'n swyddog gyda'r awyrlu yn y Fali. Cynghorais ef i edrych hanes Canolfan Nant Gwrtheyrn. Mentrodd ddweud wrth fynd 'Diolch yn fawr, a hwyl'. Rhyfedd yr effaith gafodd y geiriau syml hynny arnaf. Dywedodd y byddai'n sôn wrth rhyw Mr J. amdanaf, pwy bynnag yw hwnnw!

Ond os cynhesodd fy nheimladau i tuag ato ef, oeri fwyfwy a wnaeth fy nerbyniad gan y Tîm Glanhau.

Tachwedd 9

Wedi diwrnod tawel ddoe, a braidd neb yn torri gair â mi, ar wahân i ofyn ambell gwestiwn angenrheidiol, dyma ddechrau gwell heddiw, gan i Mr D. gwyno'n hyglyw 'mod i wedi anghofio dau fin sbwriel! Mae bendith yn dod o ambell gamgymeriad! Collais nod y *nark* a oedd yn dechrau ymddangos ar fy nhalcen. Ond dim ond dros dro. Rywbryd rhwng swper a chymdeithasu, daeth y Mr J. bondigrybwyll i'm gweld. Swyddog tal, sgwâr, wynepgoch, a rhyw hanner gwên ar ei wyneb. Cyfarchiad yn Gymraeg: 'Helo. Fi yw Mr J., swyddog yr ysbyty. Cymro Cymraeg fel ti.' Ac aeth yn sgwrs weddol frwd, os yn fer, am y byd a'r betws. Bu yma ers 15 mlynedd, yn fab fferm o Sir Gâr, ac yn un a godwyd 'ar fron yr Ysgol Sul a'r capel'. Pallodd yr awydd wedi symud i Lundain bell o gartref. Un arall a aeth drwy rwyd yr eglwysi Cymraeg yn y ddinas fawr. Aeth, wedi sgwrs felys i mi ac yntau, a'm gadael yn llawn hiraeth atgofus. Yr oedd y dagrau'n agos eto, a thristwch y lle 'ma'n drymach a duach nag arfer. Mae'n gwasgu arnaf. Mae gwg fy nghyd-weithwyr yn ddu hefyd.

Tachwedd 10

Newid swydd, yn ddirybudd ac ar ddydd Gwener. Y Prif Swyddog yn dweud (nid gofyn) fy mod i fynd i Adran yr Ymweliadau Cyfreithiol. A dyma deitl i'w flasu! Mae'n debyg fod John y pianydd, deiliad y swydd, yn cael ei ryddhau i ganu'r piano i rhyw grŵp opera sy'n llwyfannu 'West Side Story' yn y carchar dros y 'Dolig . . . nid er mwyn y carcharorion, ond er mwyn y swyddogion a phobl bwysig dethol o'r tu allan, megis Ymwelwyr Carchar, ac ambell greadur arbennig sydd â diddordeb yn yr hyn a wneir yma.

Dyma fi ati. Byddaf yn atebol i dri uwch-swyddog. Mr McK., dyn tal, braf a rhadlon, gyda chwerthiniad iach a didaro. Mr M., dyn bach pwysig a mwy o wynt yn ei frest nag o swmp yn ei feddwl. Carai ddringo'n uchel ond ni wêl y grisiau isaf yn glir. Mr N., hen foi iawn—dedwydd a hawdd gwneud gydag ef. OND mae'n hoff iawn o'i wydraid yn ystod ei awr ginio, ac nid da gennyf oriau'r prynhawnau hynny. Mae'r hen arogl yn codi ofnau, ac yn deffro chwantau y carwn eu hanghofio.

Dechrau'r dydd am 9.30 a gweithio tan 12. Yna prynhawn o 2 hyd 4, ac wedi swper o 6.30 tan 8. Dwy felltith—colli amser cymdeithasu ac amser ffonio, ond mae rhai swyddogion yn caniatáu imi ddefnyddio ffôn y swyddfa, 'cyn belled â bod neb yn dy weld, cofia!'

Mae'r gwaith yn hawdd, ac yn undonog. Rhestru ymwelwyr y dydd, a pharatoi papurau caniatâd ar gyfer y carcharorion, a dosbarthu'r papurau fesul Aden. Golyga hynny wisgo Band Goch, a rydd hawl i mi fynd i unrhyw Aden, heb orfod egluro na chael fy archwilio! Dylai hyn o lafur gymryd awr a hanner bob bore, ond y gwir amdani yw fy mod yn ei gwblhau mewn tri chwarter awr. Amser sbâr, i feddylu a diflasu.

Wedi i'r ymwelwyr gyrraedd (cyfreithwyr, plismyn a swyddogion prawf neu lesiant), fy ngwaith aruchel yw paratoi te a choffi ar eu cyfer, a golchi'r llestri.

Mae'n braf gweld rhywun o'r byd mawr y tu allan, a gwrando ar sgwrs nad yw'n troi o gwmpas cyfyngiadau a rhwystredigaethau carchar, hyd yn oed os na chwyd y sgwrs yn uwch ar dro na 'dau siwgwr, a dim llefrith'. Ac mae'n braf clywed rhywun yn dweud 'Os gwelwch yn dda'. Mae'n rhyw atgof nad y lle hwn yw diwedd y byd.

Tachwedd 11

Dydd Sadwrn, a chael mynd i'r Adran Dderbyn i nôl fy wats. Yn ôl cloc yr adran honno bu chwech ohonom yn disgwyl am dros awr a hanner cyn i'r swyddog doeth a gwybodus ein harwain at ein heiddo.

Ddoe, newid swyddi. Heddiw newid cell . . . eto! Llwytho'r stwff i gyd i fagiau duon a dau focs, ac yna'i gario, mewn tair siwrnai, dros ddwy res o risiau i gell 'Band Coch'. Yr unig wahaniaeth yw fod gan hon reiddiadur, nad oes bosib ei reoli. Mae'n boeth felltigedig bob amser. Ar ben hynny, collais yr hanner awr ychwanegol a ganiateir i'r Tîm Glanhau ar gyfer defnyddio'r ffôn. A cholli cymdeithasu, wrth gwrs. Ond wedi dweud hynny, nid oes Cymdeithasu heno na nos yfory. Prinder staff eto. O leiaf caf fod allan o'm cell, gan fod gwaith i'w wneud heno. Ond bydd nos yfory'n hir iawn. Mae bod ar glo am bedair awr ar ddeg wedi troi'n arferiad.

Tachwedd 12
Sul fel arfer. Brecwast, ac ar ei hanner, galwad i fynd i'r capel. Yna, wedi addoli, mesur pwysedd y gwaed ac Ecserseis. Fel glanhawr nid oedd amser i Ecserseis, ac o ran hynny, yr oedd dyn yn ystwytho digon ar ei gymalau. Yr hyn a gollwn oedd y cyfle i gael hynny o awyr iach sy'n cael ei ganiatáu yn y lle afiach hwn. Ond heddiw, am nad oes Cymdeithasu heno, hanner awr o Ecserseis. Mae'n edrych yn braf ond yn oer. Crys-T a chrys chwys amdani.

Allan â ni yn drŵp i'r iard, a minnau heb gwmni. Dim ots! Melinaf yn y fintai, gan sgwrsio â'm meddwl. Rownd a rownd yn ôl gwrthdro'r cloc. Hamdden bach yn awr ac yn y man, ond ddim yn rhy hir, rhag ennyn diddordeb swyddog. Yna rownd a rownd eto, nes daw chwibaniad. Yn ôl i mewn i'n celloedd, fel cwningod dof. Heddiw, osgoi archwiliad ar y ffordd i mewn . . . un o'r ychydig ddyddiau diarchwiliad, er nad oes gennyf ddim i'w guddio.

Sgwâr mawr yw'r iard a muriau metel uchel, cadarn o'i gwmpas, a gwifrau rasal ar eu pennau. Yn ymestyn rhwng topiau'r muriau mae gwifrau cadarn i atal hofrenyddion rhag disgyn a chipio carcharor i'r nen rydd. Mae deg swyddog ar ddyletswydd a gwyliadwriaeth bob amser, a'u pastynau hirion wedi eu tynnu'n barod am drafferth. Mae uwch-swyddog ar stôl ddyrchafedig fel reffarî tennis! Ein cwmni, ar wahân i'n gilydd, yw'r adar. Colomennod, ac ambell ddrudwy, ac aderyn y to bach pigog. Mae'n rhyfedd fod hyd yn oed yr adar yn edrych yn ddigalon ac anniddig. Rhyw olwg lwydaidd, afiach ar bob un, yn adlewyrchiad o gyflwr y carcharorion.

Petai'r awyr yn yr iard yn iach, byddai'n llesol, ond rywsut, dyw'r awyr allanol y tu mewn i furiau'r carchar ddim yn awyr iach. Mae sawr syrffed, diflastod a digalondid ar ei anadl. Ni wnaeth yr ecserseis fawr o les wedi'r cwbwl. Lledorwedd, nes i ryw esgus o gerdd rigymu i'm meddwl.

Llwyn Eiddew yng ngharchar Wandsworth
(ei weld o iard yr Ecserseis)

Cerdded, heb amcan
ond i gael awyr nad yw'n iach.
Cerdded, heb gyfeiriad
ond man cychwyn y cylch hurt.
Cerdded, a'r myfyrio difeddwl
yn anastheteiddio
poen caethiwed.
Codi'm pen o'm llwybr tro,
ac yno, drwy glwyd y dur diobaith
gweld eiddew'n
dringo'n obeithiol dros y mur.
Bu rhywun yn tocio llwybr hwnnw;
mae ôl min y siswrn cas ar dwf brau ei ddoe.
Fel trin yr eiddew,
rhaid trin dyn;
torri â chyllell finiog brofiad hallt
ei hen frigau methedig,
yn ôl i'r byw.
Ond fel yr eiddew,
ymdrecha eto
i ben y mur a'i rhyddha.
Mae deilen eiddew'n chwyrlïo'n rhydd i'r llawr.

Mae tu hwnt i bob caethiwed
yn ei natur rydd.
Drwy'r tyfiant gwyrdd
daw ambell lygedyn o lesni
awyr iach.
A chredaf
yn ei lewyrch pell
na chiliodd gobaith gwawr y dydd sydd well.
Ond tros y golau, llithra cwmwl
yn dwyllwr llwyd fel unigrwydd.
Ofnaf; crynaf.
Edrychaf eto dro,
a gwelaf yn rimyn o arian gwyn
yr haul yn llunio ffrâm i'r cwmwl cas.
Haul y gobaith anfarwol
na ellir carcharu'm henaid,
na'i ladd.

Tachwedd 15
Cael fy ngalw o'm gwaith tua 2.30 gan swyddog a phapur yn ei law.

'Ymweliad, Evans. Beth yw dy rif di?' Atebais wrth ei fodd, gan gadarnhau'r ffeithiau ar fy ngherdyn ID. Ond nid oeddwn yn disgwyl neb heddiw. Roeddwn wrth fy modd, serch hynny, o weld Anne. Er, a bod yn gwbwl onest, nid oeddwn yn hoffi i neb fy ngweld yn y lle a'r cyflwr hwn. Rywsut gwnâi imi ymdeimlo'n fwy â'm hiselder, a'm trueni a'm bai. Dyfnhâi ynof yr ymdeimlad nad oedd ffordd yn ôl nac ymlaen . . . a chaniatáu fod ffordd allan.

Caniateir un ymweliad swyddogol bob pythefnos. Rhaid rhoi enwau'r ymwelwyr ymlaen llaw ar y papur a ddanfonir allan iddynt. Os na fydd y papur hwnnw yn eu meddiant, dim ymweliad. Hanner awr yw hyd pob ymweliad . . . fawr o werth, mewn gwirionedd.

Rhaid i'r ymwelwyr gyrraedd erbyn amser agor ac aros yn y Ganolfan Ymwelwyr nes iddynt gael eu galw i mewn. Twyll yw'r ganolfan arbennig honno, a'i 'chroeso', yn gwatwar yr hyn sy'n anweledig i'r ymwelwyr. Buasai'n well i'r Swyddfa Gartref wario mwy ar gelloedd anwar yr Adenydd hen nag ar goluro wyneb yr hen wreigan hyll.

Rhaid archwilio pob ymwelydd a'i fagiau ac, ar dro, mae'r archwiliad yn fanwl a phersonol iawn. Gosodir pob bag o dan sêl a chlo. Yna fe yrrir am y carcharor, ac fe archwilir hwnnw i'w groen, a hyd yn oed y tu mewn i'w geg a'i glust ac, yn ôl mympwy'r swyddog, unrhyw agoriad arall hefyd. Cymerir popeth oddi arno heblaw ei ddillad. Dim wats na hances na dannedd gosod!

Ystafell gyhoeddus yw'r ystafell ymweld, a rhyw ddeg ar hugain o fyrddau a phedair cadair wrth bob un. Mae'r sŵn yn fyddarol . . . carcharorion, plant, rhieni, pobl o bob lliw a llun a math, yn cyd-gyfarfod gan esgus bod yn hapus. Llwydda rhai i ymgloi'n gariadus, tra mae eraill yn dal dwylo yn swil ac ofnus. Mae llygaid barcud wyth o swyddogion ym mhobman, ac ni chaniateir eiliad dros yr hanner awr. Nid braf yw ymweliadau carchar, ond cefais gysur ac ysgytwad ynddynt.

Caniatawyd i mi hefyd dri ymweliad bugeiliol, a drefnwyd gan y caplaniaid. Daeth Anthony Williams, mawr ei deyrngarwch a chysur yn ei wên, a daeth Peter Richards, ysgrifennydd da Bedyddwyr Cymru, â gobaith a hyder yn ei addewid a'i her. Ac nid anghofiaf fyth fy nyled i'r enwadau y perthynaf iddynt am eu hymddiriedaeth ynof. Mwy na'm haeddiant. Daeth Geoffrey Davies yn ei lesgedd, a dwyn cysur y 'brodyr'. Mae carchar Wandsworth yn ei 'blwyf'. Ceisio mynediad fu hanes llawer o ffrindiau eraill, yn enwedig fy hen gyfaill a chyd-fyfyriwr gynt, Gwylfa Evans, sy'n fawr ei ofal ohonof i ac o Anne. Ond methu plygu dim ar haearn y drefn fu ei hanes yntau. Felly hefyd hanes dau â chysylltiad ag Ystalyfera, tase hynny'n bwysig. Arfon Jones, mawr ei gonsýrn, a Marcia Hughes, un o'm haelodau a fu unwaith yn swyddog carchar yn Holloway. Curo a churo wrth y drws a dwrdio'r drefn a'r trefnwyr. Ond dim mynediad. Ac y mae unrhyw garchar all wrthsefyll ymosodiad gan Arfon a Marcia yn gadarn.

Ni all geiriau fyth fynegi fy nyled i'r bobl a ymdrafferthodd ac a ymboenodd i ddod i'm gweld, er mai cymysg yw fy nheimladau'n awr, yn ôl yn unigrwydd fy nghell gyfyng. Ofn a diolchgarwch, rhwystredigaeth a llawenydd, dagrau a gwên, cywilydd a gobaith, euogrwydd a gostyngeiddrwydd yn ymwáu yn fwndel o feddyliau.

Tachwedd 17

Bwndel o lythyron heddiw; yn eu plith cadarnhad y caf fynediad i Ganolfan Sant Joseph ar Dachwedd 27. Bendigedig! Caf fod adref am ddeuddydd, ac yna'n syth i gael triniaeth. Mae'r ariannu wedi ei drefnu, diolch i ddewiniaeth ffrindiau a haelioni eglwysi a mudiadau cymwynasgar. Tu hwnt i'm haeddiant yw hyn oll.

Dau gyswllt sydd gan garcharor â'r byd y tu allan, ar wahân i ymweliadau prin. Y ffôn yw un. Ceir hawl i ddefnyddio hwnnw yn ystod amser 'Cymdeithasu' yn unig. Mae'r glanhawyr yn cael ei ddefnyddio am hanner awr rhwng 9 a 9.30, a bwrw bod y swyddogion wedi cofio, neu'n dymuno cofio, troi swits y ffôn ymlaen. Am y tri diwrnod cyntaf yn y carchar caiff carcharor ddefnyddio'r ffôn rhwng 11 a 11.30 y bore, os nad oes rhywbeth neu rywun arall yn galw am ei sylw. I ddefnyddio'r ffôn rhaid bod â cherdyn ffôn arbennig, na ellir ei ddefnyddio ond ar ffôn carchar yn unig. Nid yw'r ffôn yn derbyn arian, ac ni ellir mynd drwodd i'r gyfnewidfa nac i'r adran honno sy'n dod o hyd i rifau anadnabyddus. Mae enw a llofnod y carcharor ar bob cerdyn ffôn, ac os delir rhywun yn defnyddio cerdyn rhywun arall, mae cosb lem yn dilyn. Bloc A neu B yn sicr! Mae pob sgwrs yn cael ei recordio.

Y prif linell gyswllt yw'r llythyron. Mae stampiau post fel aur yma. Rhaid 'clirio' pob llythyr allan, drwy uwch-swyddog; mae ciw hir bob bore wrth ddrws y 'Wendy House' (Swyddfa'r Aden), oherwydd fod y post yn cael ei gasglu am 9 y bore yn unig. Mae'r llythyron sy'n dod i mewn yn cael eu darllen, bob un, gan swyddog yn yr adran 'Ddiogelwch'. Er i mi gael amryw yn y Gymraeg, unwaith yn unig y bu ymholiad, a hynny gan rhyw grwt ifanc o swyddog pigog, a oedd am wneud enw iddo'i hun. Dysgais ei osgoi, ac am wn i na wyddai fy mod yn ei osgoi, wedi iddo gael rhyw ffrwgwd gyda Steffan ynglŷn â Natsïaeth. Mae ganddo lygaid bach gwibiog mewn wyneb cul, creulon. Mae'n cerdded fel crwt newydd ddod allan o ffilm John Wayne. Un Mr W. 'Beth yw'r nonsens hwn, Evans? Sut mae dy ffrindiau primitif di'n disgwyl i bobl ddeallus ddarllen rhyw hurtrwydd fel hyn?'

Trwy ras ataliol, ni ddaeth yr hyn a feddyliais i'm tafod! Diolch am hynny, gyda hwn. Geiriau'n ymwneud â thwpdra a diffyg dysg a chwrteisi oeddynt.

'Reit, i fod yn deg â ti, fe daflaf ddeg ceiniog. Reit? Os daw i lawr â phen y frenhines yn dangos, fe gei di'r llythyr. Os na, fe aiff yn ôl. Reit?'

Na. Ddim yn reit. Ond pa ddewis sy gen i? Y tro hwn bu'r frenhines yn garedig wrthyf.

Awyr iach o fyd arall yw llythyron a'r cariad a ddaw ynddynt i ddyn mewn carchar. Mae'r cardiau'n goleuo'r celloedd undonog, ac yn gymorth i ddal gafael yn yr ymdeimlad o berthyn. Derbyniais gannoedd o lythyron a chardiau, ac fe fuont yn gyfrwng i'm cadw rhag mynd yn llwyr o'm cof.

Daeth llythyron 'swyddogol' wrth gwrs, oddi wrth Castle Street a Seion, Ealing Green, fy eglwysi teyrngar a maddeugar, a chariad digwestiwn John Merfyn Jones ac Idris Roberts, y ddau Ysgrifennydd a gariodd y beichiau drosof yn disgleirio drwyddynt. Ac oddi wrth Anne: ar lafar gyda choflaid a chusan yr arferem gyfathrebu! Daliodd yn driw drwy'r cyfan. Ac oddi wrth y bechgyn a'u gwragedd. Mor falch ydwyf ohonynt. Diolch am y cariad sy'n troi'r tad yn blentyn, ac am y gofal a'i cadwodd. Llythyron oddi wrth fy nheulu. Dai fy mrawd; Anne a Menna, fy chwiorydd . . . ac aml gefnder a chyfnither na fu i mi wneud digon ohonynt. Cefais ganddynt faddeuant a derbyniad.

Fe ddaeth llythyrau oddi wrth hen ffrindiau a chysylltiadau—rhai ohonynt y bu i mi, yn ynfydrwydd fy alcoholiaeth, gau'r drws ar eu cymorth a'u consýrn, a gwrthod eu dwylo estynedig. Ni haeddaf y fath gariad, y fath deyrngarwch—ond y mae'n dda eu derbyn.

Ac yna fy meibion yn y ffydd yr wyf mor falch ohonynt. Rwy mor falch a hapus i rai ohonyn nhw gofio amdanaf yn awr y ddrycin. Fi osododd eu traed, wedi galwad Duw, ar y llwybr euraid sy'n llanw pulpud a gwasanaethu pobl. Dim ond diolch yw fy lle.

A daeth amryw air gan hen ffrindiau, o ddyddiau pell yn ôl. Rhai'n cofio am rywbeth a ddywedais . . . rhyw gymorth a estynnais . . . rhyw angladd . . . rhyw fedydd . . . rhyw ofid . . . rhyw enedigaeth . . . rhyw blentyn mewn ysbyty . . . rhyw fam neu dad ar wely angau . . .

Ac yr oeddwn i gyda hwy yno. Diolch . . . am gael bod yno. Mae'r Beibl yn sôn am rhyw fara ar wyneb y dyfroedd, a hwnnw'n 'dod yn ôl'. Ofnaf i mi gredu fod y bara wedi suddo, i beidio â dychwelyd . . . ond sarhad ar y Duw a'm galwodd ac a'm defnyddiodd . . . sarhad arnaf fi fy hun . . . a sarhad ar y sawl y bûm o gymorth iddynt yw credu peth felly. (A dyna hedyn arall a blannwyd i ffrwydro yn Sant Joseph.)

Heno, clywed fod John yn dychwelyd i'w swydd; wedi pwdu wrth y cwmni opera . . . rêl Prima Donna! (Oni bai 'mod i'n fodlon iddo gymryd ei swydd yn ôl, beth fyddai ei hanes?) Ond ta waeth. Dim ond rhyw wythnos sy gen i ar ôl.

Caf dreulio'r amser, yn ôl Mr H. y Prif Swyddog, yn archebu bwyd i'r Aden, ac arolygu'r Glanhawyr. Clywed hefyd fod un o'r Tîm wedi cael mynd yn ddiseremoni i Floc B, ddeuddydd yn ôl. Rhan o'i waith ef oedd cyfrif a chadw, dan arolygiaeth Swyddog, llwyau ac ati a ddefnyddid i hulio unrhyw bryd bwyd, ac wedi gorffen bwydo, cadw'r cyfan dan glo'r swyddog. Yn anffodus, fe gollwyd lletwad. Daethpwyd o hyd i honno yn y gegin wrth olchi'r offer.

A phwy gafodd y bai? Nid Mr G.!

Tachwedd 19
Sul eto, a hwnnw fel arfer. Y Sul olaf imi fod yn gyfrifol am gadw a chyfrif dillad budron y carcharorion, a gorfod sefyll i wylio pantomeim y dadwisgo cyhoeddus. Nid yw ambell gorff yn weddus yng ngolau dydd!

Cyfri a bagio dillad . . . y trowsusau a'r crysau'n iawn, ond am ddrewdod y sanau a'r dillad isaf, gwell peidio dweud dim! Nid aiff yr arogl yn angof gennyf fyth. Cawsom fenig i amddiffyn ein dwylo, ond beth am ein ffroenau?

Tachwedd 22
Bore arall, a diwrnod arall yn nes at ryddid. Caiff hwnnw a rannodd gell â mi yn y dyddiau cyntaf fynd

adref heddiw. Fe dreuliodd rai dyddiau yng nghelloedd yr heddlu, ac mae hynny'n cyfrif fel rhan o'i amser yng ngharchar. Boi braf. Bydded bywyd yn garedig wrtho ef a'i deulu bach.

Mynd i weld y meddyg am archwiliad terfynol cyn 'madael. Dr Pandya eto, mewn dillad gorllewinol y tro hwn. Ni welais hi erioed felly. Yno roedd hithau a dwy nyrs, a thri swyddog. Dadwisgo'n llwyr, a'r archwiliad yn digwydd a minnau'n sefyll yn eu gŵydd. Does dim ots am deimlad na phreifatrwydd!

Ymddengys fod popeth yn dda. Ond caf archwiliad arall mwy trylwyr a dilys wedi cyrraedd Sant Joseph.

Hir fu gweddill heddiw. Mae pob awr fel oes ers dyddiau, a'm hamynedd yn prinhau.

Rwyf ar bigau'r drain. Mae pob sŵn a smic yn gwneud i mi neidio ac ofni. Bob tro gan y goriad yn y drws yn fy nychryn. Beth all fynd o'i le? Mae'n rhaid y gall rhywbeth. A wnaed camgymeriad ynglŷn â'r dyddiadau?

Edrych am y canfed tro ar y papur rhyddhau. Ac y mae yno, mewn du a gwyn . . . Tachwedd 24 . . . caf fynd yn rhydd . . . ond mae ofn real a dychryn mawr yn fy nghalon.

Tachwedd 23

Gwawriodd yn braf, a minnau heb gysgu fawr ddim. Meddyliau'n corddi, rhai'n felys, rhai'n chwerw. Mor hurt y mae dyn pan fo pryder yn ei lethu, ac yntau'n methu ei ddileu.

Rhaid gosod trefn ar y stwff sydd gen i heddiw. Nid wyf am fynd â dim oddi yma . . . dim . . . ond yr ychydig lyfrau a gefais drwy'r post, y llythyron a'r cardiau, a'r cerddi, wrth gwrs. Dim arall. Bydd yr atgofion yn fwy na digon. Ac fe af â'm dyddiadur. Gwneud yn siŵr eto o'r dyddiad, a gwneud hynny bob hanner awr. Ac am ddeg o'r gloch, gorchymyn i fynd am Gyfweliad Ymadael. Haleliwia, mae gobaith! Aros, nes galw fy enw, mewn ystafell fechan rhyw bum troedfedd ar hugain sgwâr, gyda rhyw ddeg ar hugain o garcharorion eraill. Drewdod sigarennau a chwys, ac ambell gyffur, yn droëdig. Awr a deng munud o aros chwyslyd, drewllyd, ac yna cyfweliad am ryw bedwar munud. Swm a sylwedd y sgwrs honno oedd: 'Cei fynd adref yfory . . . a bydd yn fachgen da.' Ffonio Anne a methu dweud dim. Rhyddhad meddwl yn fy nhagu.

Yna, llyfrau'n ôl i'r llyfrgell. Mân bethau i'w rhannu. Casglu'r papurau. Ysgwyd ambell law.

Tachwedd 24

Adref! Adref! Aros am yr alwad er 7 o'r gloch! Mae popeth yn barod. Ymhen oriau byddaf yn ôl yng nghôl fy nheulu a'm ffrindiau. Bydd wylo digywilydd o ryddhad.

Geiriau Hilarie Belloc a nodais o ryw lyfr yn y lle hwn yn dod yn ôl i'm meddwl, er mai am fryniau Sussex y canodd ef:

> 'Here am I homeward
> from my wandering;
> Here am I homeward
> and my heart is healed.'

Rai wythnosau'n ôl, gwnes nodyn o'r pennill, a pharagraff neu ddau o 'Ysgrifau Gwledig' J. H. B. Peel a dynnodd fy sylw:

> 'Each of us has his own territory, and neither time of year or the hour of the day will blur our recognition of it . . . Fog, fatigue, sorrow, joy, a thousand things

may . . . stifle remembrance, yet somewhere along the way our *alter ego*, that friend of many years, comes out to meet us.'

Daw hwnnw i'm cyfarfod heddiw. Canys nid y *fi* aeth i fewn i'r lle hwn yw'r fi a ddaw allan ohono. Rwy'n debycach erbyn hyn i'r Fi real hwnnw a fradychais lawer blwyddyn yn ôl. Camaf yn ôl, yn betrus, ofnus, ac eto gyda rhyw hyder nad wyf yn ei lwyr ddeall, i'm cynefin.

J. H. B. Peel eto, yn dyfynnu Emily Brontë:

'What on earth is half so dear,
So longed for as the hearth of home?'
'The question is also a description of her native moorland, which she approached via a "little and a lone green lane". But home is more than the lane, and more than any lane . . . it is the place where all roads meet.'

A throediais lawer ffordd, ac y mae o leiaf un eto i'w cherdded, cyn y daw heddwch a hunanfeistrolaeth. Ond pa lwybr bynnag a gerddaf, bydd pob un yn cyd-gyfarfod yn fy nghartref, heddiw. Ac yno, heddiw, ac ym mhob heddiw, caf gwrdd â'r Fi real hwnnw y chwiliais amdano cyhyd.

Daeth yr alwad i'r Adran Dderbyn, ond y tro hwn, yr adran ffarwelio! Cael fy nillad, tabledi dros dridiau, 'grant ymadael' a thocyn trên. Ond mae'r drws i Uffern yn ymyl drws y ddinas sanctaidd, yn ôl *Taith y Pererin*. A ninnau, ryw chwech ohonom, ar fin cael ein rhyddhau, dyma swyddog yn dweud fod yr heddlu yn y cyntedd am restio dau ohonom. Ac er fy mod yn gwybod nad oedd unrhyw achos yn fy erbyn, rhewais yn gorff, meddwl ac ysbryd. A oes bosib nad af yn rhydd?

Ond na . . . nid fi. Diolchais, er fy nghywilydd, mai dau arall aeth i'r ddalfa.

Brasgamais drwy'r glwyd, ac er petrus edrych dros f'ysgwydd, trois wyneb a thraed i gyfeiriad stesion Clapham Junction.

Yno y sylweddolais 'mod i'n dal mewn sioc, a bod fy nerfau'n yfflon. Crynwn drwof wrth wneud peth mor syml â gofyn am docyn trên i Surbiton . . . gwneuthum hynny droeon o'r blaen ac wedyn.

O'r diwedd, adref . . . yn flinedig a chrynedig, yn ofnus a phetrus . . . ond yn rhydd.

Ni sylweddolais pa mor isel fy nghyflwr, nes i mi gyrraedd Sant Joseph ymhen deuddydd. Nodyn y cwnselwr ar fy nogfen dderbyn oedd:

'Byron is shell-shocked.'

Gwir y gair.

Blaen y Wawr

Bernais mai gwell newid yr enwau y mae'n angenrheidiol i mi eu defnyddio yn yr adran hon, er mwyn diogelu preifatrwydd fy nghyd-gleifion. Ni welaf angen defnyddio enw unrhyw aelod o'r staff yng Nghanolfan Sant Joseph; elwais ar gyfraniad pob un ohonynt.

Wedi fy rhyddhau o Wandsworth, cefais ddau ddiwrnod a hanner yn ôl ar fy aelwyd, gyda'm gwraig a'm ffrindiau. Ni chofiaf fawr ddim am y dyddiau hynny; yr oeddwn mewn gwendid, sioc, pryder a chywilydd. Ni chofiaf i ddim wneud argraff arnaf, ar wahân i'r ffaith syml fy mod gartref, ac yn cael gofal. Yr oedd llawer y dylwn fod wedi siarad amdano gydag Anne ac eraill, ond ni fedrwn. Nid dyma'r adeg; ni fedrwn ymddiried yn fy nheimladau nac, o ran hynny, yn nheimladau neb arall.

Serch hynny, yr oeddwn yn ymwybodol o gariad mawr, ac o dderbyniad yn ôl, er gwaetha'r holl gwestiynau. Yr oeddwn hefyd yn ymwybodol o awydd ac ymdrech Anne i beidio â chaniatáu i'r un gair o'i heiddo fod yn edliw.

Yr unig beth oedd yn bwysig i ni'n dau oedd i mi gael adferiad, trwy driniaeth yn Sant Joseph.

Ar fore Llun, Tachwedd 27ain, cymerwyd fi i'r lle hwnnw, gan Anne a chyfaill i ni'n dau. Roedd yn fore gaeafol, wedi noson stormus. Ymddangosai fel pe bai natur ei hun yn adleisio fy nheimladau a'm cynnwrf mewnol.

Derbyniwyd fi gan nyrs o Wyddeles gynnes a threfnus. Cefais aros yn yr ysbyty foethus a oedd mor wahanol i Wandsworth fel y credais fy mod wedi marw yno a mynd i'r nefoedd, am ryw deirawr. Archwiliwyd fi gan feddyg sensitif a deallus. Rhoddwyd amryw brofion i mi, a phenderfynodd nad oedd galw i mi aros yn yr ysbyty, gan fod pob cyffur a phob defnyn o alcohol wedi cilio o'm corff. Er ei fod yn bryderus am gyflwr fy meddwl, credai y dylwn ddechrau ar unwaith ar y rhaglen adfer. Byddai'n sicrhau fod gofal cyson seicolegol yn cael ei roi i mi, yn ogystal â gofal meddygol cyffredinol.

Felly, tuag amser te y diwrnod hwnnw, hebryngwyd fi, a'm pac, i'r Ganolfan. Daeth y ferch a oedd yn Gwnselwr personol a 'Gweithiwr Allweddol' i mi ar hyd fy nhriniaeth, i'm cyfarfod. Ffurfiwyd perthynas dda rhyngom ar unwaith, ac fe bery hithau'n gymorth cyfamserol imi. Rhan o sefydliad o dan reolaeth Cynulleidfa Merched y Groes, cymuned o leianod Pabyddol, a ffurfiwyd gan Jeanne Haze (Y Fam Marie Theresa) ym 1833 yw Canolfan Sant Joseph. Un rhan ydyw o waith meddygol Ysbyty'r Groes Sanctaidd, ar gyrion tref fechan dawel, wledig Hazlemere, Surrey. Yn ôl y Chwaer Mary Agnes (a godwyd yn Fethodist yn yr Amwythig), daeth y ganolfan i fod wedi sawl mis o weddi, yn dilyn ceisiadau gan unigolion a grwpiau a welodd angen am ganolfan i drin cleifion yng ngafael Dibyniaeth Cemegol. Cynhelir Canolfan Sant Joseph, gan Bwerdy Gweddi y Gymuned bresennol o leianod, ac ymroad y staff. Dod yn rhan o deulu a wna pawb a ddaw i Sant Joseph, ac fel teulu fe rannwn nid yn unig yr hyn sydd gennym, ond yn bwysicach na dim, yr hyn ydym.

Tarawyd fi ar unwaith gan lonyddwch y lle a'i dangnef. Teimlwn rywsut yn gartrefol yno, ac am y tro gyntaf ers sbel, nid oeddwn o dan unrhyw fygythiad na beirniadaeth.

Seiliwyd athroniaeth y Ganolfan ar y gred mai afiechyd yw dibyniaeth ar gemegau o unrhyw fath, afiechyd sy'n dinistrio unigolion a theuluoedd, ac yn effeithio ar feddyliau, cyrff, ac ysbrydoedd y dioddefwyr a'u teuluoedd. Yn ôl yr athroniaeth honno, mae adferiad yn bosibl, a'r cam cyntaf tuag ato yw pan gerdda'r claf drwy'r drws agored, yn dilyn penderfyniad personol o'i eiddo ei hun. Dangosir fel y bu i eraill gyrraedd bywyd rhydd o gemegau, a bywyd llawnach, a'i bod hi'n bosibl i bob dioddefwr gyrraedd yr un tir. Ei hamcan yw cynnig gobaith, cymorth a chyd-ddeall i'r claf a'i deulu, fel y daw iddynt well bywyd a dedwyddwch perthynas, fel y gallant, gyda'i gilydd, ymryddhau o effeithiau cemegau ar eu bywydau. Siwrnai yw adferiad, ac fel y daw'r claf yn rhydd o afael y cemegau sy'n llyffethair arno ef a'i deulu, daw cyfle i gyrraedd y bywyd cyflawn hwnnw a fu ar goll mor hir.

Er mwyn y cleifion y bodola'r Ganolfan, a hwy sy'n gyfrifol am eu hadferiad unigol. Bywyd mewn Cymuned sy'n nodweddu'r lle, a phob claf yn cymryd ei ran yn y gwaith tŷ, a choginio pryd bwyd yn yr hwyr. Chwaraeant eu rhan hefyd wrth drefnu bywyd bob dydd y Gymuned. Cynorthwyo yw gwaith y staff, nid rheoli, ond i'r graddau y mae diogelwch y cleifion yn hawlio hynny.

Triniaeth aml-ddisgyblaeth a geir yma, yn seiliedig ar Gynllun Minesota, sy'n arwain y claf trwy bum cam cyntaf Deuddeg Cam Cymdeithas Alcoholiaid Dienw. Ceir triniaeth feddygol, seicolegol a seiciatrig. Ceir hefyd arweiniad ysbrydol a chefnogaeth emosiynol. Ceir arbenigwyr mewn cerddoriaeth, arlunio, myfyrdod, a chymorth gyda phethau sylfaenol bywyd bob dydd a aeth ar chwâl i gymaint o'r cleifion.

Mae lle i ryw bedwar claf ar ddeg yn y Ganolfan, ac

fe bery'r driniaeth anodd a chostus, gan drethu corff, meddwl ac emosiwn i'r eithaf, am ryw chwech i wyth wythnos. Nid rhyfedd nad pawb sy'n dechrau'r daith sy'n cwblhau'r rhaglen! Mae'r dyddiau'n hirion ac yn llawn. Dechreuir pob dydd am 7.30; daw ei ddiwedd tua 10.00 yr hwyr, heb hamdden ond i fwyta. Ceir pob prynhawn Gwener yn rhydd, a nos Sadwrn. Derbynnir ymwelwyr ar brynhawn Sul yn unig, ac ni chaniateir i neb ymweld ond y sawl a wahoddir gan y claf ei hun.

Wedi cyrraedd, eglurwyd i mi strwythur y rhaglen, a daearyddiaeth y Ganolfan, ac fe ddangoswyd f'ystafell imi. Roedd yn gyfforddus, yn olau a chroesawgar. Pwysleisiwyd mai ystafell gysgu ydoedd. Mae'r dyddiau i'w treulio, hyd y mae'n bosibl, yng Nghymdeithas y Gymuned. Ni ddisgwyliais weld dau wely yn y stafell. Bûm ar fy mhen fy hun am ddeufis, a chollais lawer o'r 'doniau cymysgu' ag eraill. Ac, o ran hynny, nid oeddwn yn awyddus am gwmni neb ond fi fy hun. Ond yr oedd rhannu ystafell yn rhan o'r cynllun adfer, yn gymorth i gyd-gynhaliaeth claf a chlaf.

Cyflwynwyd fi i'm cydletywr—llawfeddyg, yn wreiddiol o'r India, sef Rajiv. Yr oedd yn yr un picil â minnau, er ei fod ef wedi colli ei wraig, ei blentyn a'i waith. Mae lle i ddiolch, wedi'r cyfan. Dyn galluog, balch a llwyddiannus a loriwyd gan y gelyn. Roedd yn groesawgar, ac fe gefais achos i ddiolch am ei arweiniad wrth ddechrau cropian yn y rhaglen hon. Yn ddiweddarach, wedi i'n rhifau 'fwrw'r gwaelod' cyn y Nadolig, rhoddwyd i bawb ohonom ystafell ar ein pennau ein hunain. A phan ddigwyddodd hynny, yr oeddwn yn barod am y llonyddwch, ac eto wedi aeddfedu'n ddigonol i beidio â chilio nac ymguddio.

Cynnwys y rhaglen amrywiol fathau o therapi. Mae therapi mewn grŵp o gyd-ddioddefwyr; therapi mewn grŵp o arbenigwyr, sy'n cynnwys seiciatrydd, prif gwnselwr, dau gwnselwr arall, a meddyg; therapi cerddorol; therapi arlunio; therapi ymlacio; sesiynau rheolaidd gyda'r cwnselwr personol; darlithoedd; sesiynau holi ac ateb; grwpiau teuluol; grwpiau i gleifion ar wellhad; a gwaith ymarferol, megis coginio a siopa.

Does fawr o amser hamdden, ac ni chaniateir teledu na radio nes daw gwaith y dydd i ben tua deg yr hwyr. Erbyn hynny does hwyl i ddim ond gorffwys. Cawn fynd allan am dro i'r gerddi, ac i'r Offeren, os oes gennym gwmni o leiaf un arall. Cawn fynd i'r dref i siopa ar brynhawn Gwener am awr a hanner—eto mewn cwmni—ac i ddau gyfarfod yn yr wythnos o Gymdeithas leol Alcoholiaid Dienw neu Narcotiaid Dienw.

Rhaglen yw hon sy'n hawlio llawer gan y claf. Cynlluniwyd hi i ryddhau'r emosiynau o'r hualau sy'n eu caethiwo. Y caethiwed hwnnw sydd wrth wraidd y caethiwed i alcohol a chyffur. Mae'r ymryddhau hwnnw ar brydiau'n boenus, yn ddagreuol o boenus. Ac nid hawdd i rywun tawedog wrth reddf a dewis adael ei emosiynau o'r cwd. Ond mae technegau'r cwnselwyr yn gweithio heb fod dyn yn sylweddoli hynny. Mae strwythur y rhaglen yn arwain hefyd, gam wrth gam, nes bod dyn yn sylweddoli'n sydyn a dirybudd fod rhywbeth wedi digwydd iddo ac ynddo, a'r rhywbeth hwnnw yn ei newid.

Yn sicr nid yr un person wyf fi yn awr â'r un a gamodd yn betrus dros y trothwy ac ysgwyd llaw â'm cyd-letywyr. Bu naw ohonynt yn ystod fy amser i yno, er i mi gael y fraint fawr a rhagluniaethol o gael treulio tair wythnos yno yn un o dri, wythnos yn un o ddau, a'r wythnos olaf dyngedfennol wrthyf fy hunan, a'r cwnselwyr bron yn syrthio dros ei gilydd i roi sylw i mi. Am hynny yr wyf yn ddeublyg yn eu dyled.

Yn fy nisgwyl yno yr oedd Ann, gwraig tua hanner cant oed; Terry, dyn tua deugain oed a chanddo ddau o blant bach a gwraig a wrthodai ei weld; Rajiv; Jack, garddwr deg ar hugain oed a fu'n briod deirgwaith gan ysgaru bob tro, ac yn dad i bedair merch; Marienne, Ffrances fywiog siaradus, a oedd yn gopi benywaidd o'r dioddef a fu i mi.

Yna daeth John a Julian, dau lanc ifanc a drodd eu cefnau ar y Ganolfan wedi rhyw dair wythnos. Yr un oedd hanes Grant hefyd, er nad arhosodd ef ond am wythnos. Ar ddiwedd f'arhosiad daeth Paul, ond deallaf iddo ffoi erbyn hyn. Cefais ynddynt ffrindiau a roddodd i mi dderbyniad digwestiwn a chefnogaeth diweniaith. Yr wyf yn ddiolchgar iddynt. Derbyniais lawer ganddynt fel y bu i mi dderbyn llawer gan Sant Joseph, rhywbeth a'm gwnaeth yr hyn wyf heddiw.

Beth a gefais yno?

Mwy nag y gallaf ei roi mewn geiriau, yw'r ateb syml, annigonol. Mae'n rhy bersonol o lawer imi ei rannu â neb, ac y mae'n dal i frifo'n boenus ar brydiau—mae'r mannau tyner yn dal i roi dolur i mi.

Cefais gyfeillgarwch a chariad agored, digwestiwn, a diamod. Ni chefais ei fath erioed, ac ni chredaf y caf eto. Cefais fy herio a'm harwain i edrych i waelodion tywyll fy mhersonoliaeth a'm profiadau. Cefais gymorth i weld ynof y du a'r gwyn, y da a'r drwg, yr annerbyniol a'r derbyniol. Cefais gymorth i ymryddhau o afael y negatif, a dysgu oddi wrth y positif. Cefais gydymdeimlad difaldod, diweniaith a di-lol, a hynny pan oedd pethau'n anodd arnaf, a minnau ar fin rhoi'r gorau i'r driniaeth a rwygai ymysgaroedd f'emosiynau, a malurio muriau fy niogelwch brau. Pan oedd y temtiwr yn galw: 'Tyrd yn ôl!' ni fu arnaf unrhyw orfodaeth, dim ond anogaeth gyfeillgar: 'Cofia beth sy allan yna i ti!'

Cefais fy meddiannu gan hud y lle a'i natur arbennig ysbrydol. Heriwyd fi gan onestrwydd a llawenydd real pobl a ddaeth o afael cyffur ac alcohol. Yr oedd bron bob un o'r staff yn eu swydd am iddynt fod yn gaeth eu hunain, neu yn briod â rhywun a fu (ac mewn un neu ddau achos yn parhau i ddefnyddio cyffur ac alcohol) neu yn blant neu'n rhiaint i alcoholiaid. Am y gweddill, pobl yn ymdeimlo i'r byw â'u galwad i gyflawni gwaith adferol gyda chleifion caeth i gemegau oeddynt. Ac ni chefais unrhyw achos, tra oeddwn yn y ganolfan, na chwedyn, i amau eu hymroddiad a'u gofal.

Cefais fynediad i gymdeithas Alcoholiaid Dienw (Alcoholics Anonymous), sef cymdeithas fy nghyd-ddioddefwyr, a chyd-ymladdwyr â'r gelyn. Yno caf rai sy'n deall ac sydd am estyn llaw mewn cymorth deallus gyda gwên ar eu hwynebau. Caf yno gymdeithas gwbl arbennig, ac ynddi caf estyn llaw i eraill sydd, fel finnau, yn ceisio cadw'r mur rhag ymosodiad y gelyn.

Fe gollais rai pethau yn Sant Joseph hefyd, ac yr wyf yn llawen i mi eu gadael yno. Pethau o'm gorffennol y bu arnaf gywilydd ohonynt; pethau a achosodd loes megis clwyf crawnllyd yn f'isymwybod; pethau y byddai'n dda gennyf pe na byddent. Ond yr oeddynt. Nid ydynt bellach. Wedi mynd trwy'r camau allweddol, ac wedi ysgrifennu'r cwbwl o'm doe a'm hechdoe i lawr yn rhestr, ac wedi derbyn fy nghyfrifoldeb amdano, anogwyd fi i losgi'r ddogfen. Ac fe wneuthum. Yn llythrennol. Mewn bin sbwriel. Roedd gallu rhyddhaol y weithred symbolaidd honno yn gyfrwng rhyddhad i'r graddau y gallwn adael i lawer o'm doe fynd. Ni all fy niweidio mwyach ac nid oes arnaf ei angen. Llosgwyd ef o'm ymwybod. Yr wyf yn rhydd os gwneuthum gam â neb, i wneud iawn am y cam, tra na bo neb yn cael mwy o niwed wrth i mi wneud hynny. Dyna gamau nesaf fy adferiad.

Cefais hefyd weld cerrig mawrion yn syrthio o fur yr amddiffynfa a godais o'm cwmpas. Gwn yn awr mai mur digon ansad oedd o. Ond llechais y tu ôl i gerrig cryfion fy hunan-dyb . . . fy malchder . . . fy awydd i reoli . . . fy ngeiriau . . . fy ngweniaith . . . fy ngallu meddyliol . . . fy ngwadu . . . fy hunanoldeb . . . a llawer un arall. O un i un daeth tyllau yn y mur, ac fe chwythodd drwyddynt awyr iach realiti. Gallaf wynebu hwnnw heddiw. Ni allwn gynt.

Collais fy angen am y mur. I newid y ddelwedd, deuthum allan o'm cornel yn barod i ymladd brwydrau byw a bod, heb gymorth na chyffur na photel.

Wrth golli, fe gefais. Er y disgrifir yn y tudalennau sy'n dilyn rai o'r pethau hynny, nid sefyll ar wahân a wnânt. Derbyn rhyw wead rhyfedd o fendithion (er nad oedd rhai ohonynt yn ymddangos felly ar y pryd) a ddaeth yn ddilledyn newydd ar fy nghyfer, a wneuthum. Daeth rhai pethau'n ddiarwybod a thawel—bron na ddywedwn yn llechwraidd. Daeth eraill fel ergyd o ordd fawr. Daeth eraill yn oleuni claer yn fy herio i edrych arno.

Daethant, ac yr wyf yn diolch am eu dod.

Deuthum wyneb yn wyneb â myfi fy hun.
Fe'm gorfodwyd i edrych i fyw llygaid y FI REAL hwnnw a fu'n llechu'n ofnus gan ymguddio y tu ôl i fur fy amddiffynfa. Ciliodd o'r golwg i'm hisymwybod ers llawer blwyddyn. Ofnwn y FI REAL hwnnw. Yn hytrach, ofnwn na fyddai'n dderbyniol i eraill, pe caniatawn iddynt ei weld. Yn syml, yr oedd arnaf GYWILYDD.

Arweiniwyd fi'n dyner a thrwy lawer cynllun bach dirgel a ymddangosai'n hurt i mi, i wynebu'r FI hwnnw, wrth ddod i adnabod y Fiau llai hynny a adawn allan o'm cwd yn ôl y gofyn. Cysgodion oeddynt. Yr oeddwn yn hapus i bobl eu gweld hwy. Yr oeddwn yn eu rheoli, a gallwn eu newid yn ôl fy mympwy er mwyn ennill canmoliaeth a gwên a serch pwy bynnag a pha gwmni bynnag y byddwn ynddo. Gallwn ddewis pa Fi fach i ddangos i bwy bynnag ar ba achlysur ac adeg. Dim ond felly y teimlwn yn ddiogel rhag Cywilydd y FI REAL. Ni châi hwnnw ddod i olwg y cyhoedd. Ac os digwyddai rhywun ei weld ar foment wan, osgoi'r person hwnnw a wnawn wedyn.

Cefais gymorth i adnabod y masgiau a wisgwn i'm perswadio fy hun mai hwy oedd y gwir fi. Bron na dderbyniwn fod y fath greadur â'r FI Real yn bod, mwyach. Ond yr oedd, a diolch byth, y *mae.*

Yr oeddwn wedi ei deimlo, ar dro, a'i weld, pan ffrwydrai'n danchwa yn ymysgaroedd fy mherson-oliaeth, mewn rhwystredigaeth diobaith amdano'i hun. Trowyd i mewn arnaf fi fy hun fy holl atgasedd at bawb a phopeth, ac at annhegwch fy modolaeth, nes ffrwydro ohono'n fynydd tân o emosiwn noeth, direol, nad oedd dim a leddfai ei wres ond cyffur, a'r lleddfwr twyllodrus sy'n trigo ym mhotel y dyfroedd tân. Ni wnâi'r 'lleddfu' hwnnw ond ennyn y fflamau. Yr oedd arnaf ofn y FI REAL hwnnw. Ofnwn hefyd ei effaith ar eraill. O'i weld, byddent yn sicr o feddwl llai ohonof. Aeth byw yn act ar lwyfan, a minnau'n rheoli'r cymeriad, yn unol â'm hawydd i blesio pawb a phopeth, a gwneud unrhyw beth er lles unrhyw un arall. Arbedai hynny fi rhag gorfod edrych ar anghenion y FI REAL hwnnw a waeddai ac a waedai am gael sylw a chariad. Ceisiais ei dawelu drwy fod yn bopeth i bawb a'm twyllo fy hun mai i hynny y'm gwnaed. Dyn i eraill oeddwn i, y gwasanaethwr aberthol, solet, dibynadwy a gymerai unrhyw waith a baich. Wylwn gydag eraill; gwnawn i eraill chwerthin; cefais esgus o bleser yn eu mwynhad. Ni allwn wylo fy hunan na chwerthin na mwynhau. Cuddfan rhag fy hun oedd y cwbwl.

Deallaf, erbyn hyn, i mi anghofio canol neges Iesu.

'Câr dy gymydog *fel ti dy hun*,' a ddywedodd. Nid '*yn dy le dy hun*,' na hyd yn oed '*ar dy draul dy hun*'. Sut y gallwn obeithio caru a gwasanaethu pobl eraill, a minnau'n fy nghasáu fy hun ac yn cyflawni rhyw fath o hunanladdiad ar fy mhersonoliaeth real, bob dydd? Nid oes egluro ar beth felly ond yn nhermau ynfydrwydd yr afiechyd hurt hwn sy'n diresymu'r meddwl.

Yn dyner, arweiniwyd fi i weld fod ynof werth. Bu'n rhaid i mi edrych yn onest a thyner arnaf fi fy hun, a gwelais y FI REAL hwnnw, a dysgais ei garu.

Tynnwyd y masgiau i gyd i ffwrdd. Dechreuodd y broses mewn sesiwn therapi arlunio. Na chamddealled neb, does gen i ddim syniad yn y maes hwn. Gofynnwyd i ni dynnu llun o'r masgiau a wisgem. Ac fe fûm mor onest ag y gwyddwn sut i fod.

Trannoeth, mewn sesiwn gyda'm Cwnselwr personol, fe wnaeth hi awgrym (os nad gorchymyn) rhyfedd. Credais fod y ferch yn gwallgofi. Ond cydsyniais, er y gwyddwn na fyddai'n hawdd. Roedd yn rhaid i mi fynd am ddyddiau ar y tro heb eillio, a heb wisgo crys a thei (roedd crys-T yn iawn) ac heb wisgo esgidiau, dim ond slipars. Yr oeddwn i edrych yn y drych bob bore, ac ysgrifennu ar bapur yr hyn a welwn a'm hadwaith tuag ato. Nid oeddwn wedi gallu edrych yn y drych, hyd yn oed i eillio a chribo 'ngwallt, ers misoedd lawer.

Teimlwn ryw embaras rhyfedd, chwyslyd. Ond yn raddol, dechreuais weld y gwir. Doedd fy nghyflwr—

cwbwl aflêr i mi—yn poeni dim ar eraill. Ni newidiodd yr un ei agwedd tuag ataf. Un o'r fflachiadau hynny—mae pobl yn gweld heibio'r allanolion, ac yn hoffi'r hyn a welant. Gwelsant y FI REAL hwnnw, ac nid oedd arnynt na'i ofn na chywilydd ohono. Os gallent hwy, tybed na allwn i . . .

Gwaharddwyd fi hefyd rhag siarad ar unrhyw adeg nac ar unrhyw bwnc, ond ar f'eistedd, a heb hyd yn oed fwrdd coffi o'm blaen. Nid oedd ymguddfa na diogelwch y ddarllenfa gennyf. Roeddwn allan yng nghanol y cylch, yn emosiynol noeth a diamddiffyn. Fe weithiodd, er i mi frwydro yn ei erbyn. Yno, yn y cylch, bu'n rhaid i mi amddiffyn fy hunan, a gweld yr hyn a welai eraill. Ac nid oedd yn gwbl atgas gennyf. Bu'n rhaid i mi hefyd, am bythefnos gron, fynd at bob aelod o'r staff a phob aelod o'r gymuned, bob dydd, a gofyn iddynt ddweud un peth da amdanaf. Ar ddiwedd y pythefnos rhaid oedd rhestru pob un, ac arddangos y rhestr ar fur yr Ystafell Gymuned. Ac am embaras, i un a arferai wfftio pob cyfarchiad caredig a chanmoliaeth. Er ceisio clod, ciliais rhagddo. Ond yn raddol, dechreuais weld nad oedd pethau mor ddrwg ar y FI REAL hwnnw a ddechreuodd hawlio allanfa o'i guddfan. Erbyn hyn aeth y broses rhagddi, ac nid anhoff gennyf yr hyn wyf FI.

Gwelais y FI REAL hwnnw, a chafodd yr actor ddefnyddio'i ynni i bethau eraill mwy angenrheidiol yng ngwasanaeth y FI REAL, ac er lles gwirioneddol eraill.

Yn ystod y broses boenus hon, deallais nad wyf yn gyfrifol am deimladau pobl eraill; rwy'n gyfrifol am fy nheimladau fy hun, ac y mae gennyf hawl i'm teimladau. Maent yn ddilys. Nid oeddwn erioed wedi derbyn hynny. Roedd teimlo'n dramgwydd i mi. Golygai ddinoethi fy hunan yn emosiynol, a chaniatáu i bobl eraill weld y FI

REAL hwnnw yr oedd arnaf gywilydd ohono. Hyd a lled teimlo i mi oedd pryder ynglŷn ag agwedd eraill tuag ataf, ac o'm herwydd, ac o'm plegid. Yr oeddwn yn byw ym mhennau pobl eraill, gan geisio rhag-weld ac osgoi'r hyn a fyddai'n eu tramgwyddo, neu fod yn achos poen iddynt, ac a fyddai'n peri iddynt feddwl llai ohonof. Ynfydrwydd llwyr!

Cefais gymorth i ddeall fy mod yn gyfrifol am yr hyn a wnaf ac a ddywedaf, ac nad wyf yn gyfrifol am ymateb neb arall i'r hyn a wnaf ac a ddywedaf. Os oes gan bobl eraill broblem gyda'r hyn a wnaf ac a ddywedaf, eu problem hwy yw honno. Digon i mi yw bod yn gyfrifol amdanaf fi fy hun. Felly y deuthum allan o'm cuddfan a'm congl, yn onest ac agored. Mae'r awyr yno'n iach. Mae fy emosiynau'n ddilys, ac y mae gennyf hawl iddynt. Rhwng pobl eraill a'u hymateb.

Ar y siwrnai hon i mewn i mi fy hun, sylweddolais rhywbeth oedd yn syfrdanol i mi. Mae ynof nodweddion y mae pobl eraill yn eu hoffi; hoffaf finnau hwy hefyd. Bu'r frwydr â'm teimladau yn frwydr anodd i mi. Mae dau gam enbyd ar y daith tuag at adferiad. Rhaid eistedd i lawr am ryw bedwar diwrnod, a thynnu allan restr gynnwys foesol o'm holl fywyd, o'i ddechrau. Roedd f'ymwneud â phobl a phethau i gyd o dan chwyddwydr. Gorfodwyd fi i edrych arnaf fy hunan fel y bûm ac fel yr wyf. Wedyn, cael y fraint boenus o fynd drwy'r rhestr gynnwys honno yng nghwmni'r Prif Gwnselwr, a dweud y cyfan. Act o gyffes gyhoeddus ger bron fy hunan, fy Nuw, a pherson arall. A gwir y gair—mae cyffes yn lles i'r enaid. Daeth ymdeimlad o ryddhad a glanhad. Gwelais fy mywyd mewn golau newydd. Dechreuais garu'r hyn a welwn wyf fi. Dadwisgwyd fi o hen ddillad y bywyd ynfyd o gywilydd, a gadael y dillad hynny yn y gorffennol. Yno mae eu lle. Ochr arall y ddalen yw fy mod wedi gweld yr hyn y carwn ei gadw'n waddol moesol ar gyfer fy siwrnai drwy bob heddiw newydd a ddaw i mi.

Nid wyf yn ddiwerth. Mae pwrpas i'm bodolaeth, ac ystyr i'm bywyd. Sarhad ar Dduw, yr hwn a'm gwnaeth, yw hunanatgasedd. Pechod. Ffurf ar gabledd. Nid damwain yw fy mywyd, na'r ffaith fy mod wedi fy nghadw. Rhan o gynllun Duw ydwyf; fe'm crewyd ar ei lun. Pa hawl a roddwyd i mi i amharchu'r cynllun nac anharddu'r ddelw? Rhoddwyd i mi 'Gredo Hunan-barch' i'w osod ar fur f'ystafell. O'i gyfieithu, dywed rywbeth fel hyn:

> Duw a'm gwnaeth. Nid damwain mohonof,
> na chanlyniad rhyw anlwc hurt.
> Yr wyf yn rhan o gynllun Duw,
> ac nid yw E'n creu sothach. Fyth!
> Ganwyd fi
> yn berson dynol llawn
> a all lwyddo yn yr hyn y rhof fy llaw i'w wneud.
> Rwy'n arbennig. Yn unigryw.
> Nid oes ond un Fi yn y byd i gyd,
> ac fe garaf y Fi hwnnw.
> Os na charaf fy hun,
> pa fodd y caraf unrhyw berson arall?
> Mae yn fy meddiant dalentau a phosibiliadau,
> Ac oes, mae ynof fawredd.
> Os harneisiaf fy arbenigrwydd
> bydd fy ngweithredoedd
> yn torri fy enw ar dywod amser.
> Bydd, bydd yn rhaid i mi weithio'n galetach
> ac yn hirach
> gan ymroi i lwyddo,
> ond pris yw hwnnw a dalaf yn fodlon.

Mae pob talent yn hawlio'i hogi yn ddyddiol,
fel na chyll ei min.
Ar ddelw Duw y'm gwnaed i.
Ar lun Duw y'm ganed i.
Ymlafniaf i gyflawni
Ei ewyllys Ef.

I mi, y bu fy hunan mor atgas iddo, mae darllen y geiriau yna yn oleuni mwy na'r haul.

Ar y siwrnai hon hefyd y deuthum wyneb yn wyneb â Chywilydd ac Euogrwydd. Yr oeddwn yn hen gyfarwydd â'r ddau. Buom yn cyd-gerdded yn hir. Rywsut yn fy meddwl yr oedd y ddau wedi cyd-glymu mor dynn nes bron bod yn un â mi. Erbyn hyn gwelaf fy mod yn euog o wneud cam â llawer o bobl, yn arbennig fi fy hun! Caf gyfle rywbryd i osod y dysglau'n wastad. Gwelaf hefyd mai gwraidd fy mhroblem oedd Cywilydd, nid Euogrwydd. Rwy'n euog o'r hyn a wnes ac a ddywedais. Ond yr oedd arnaf Gywilydd, nid o'r pethau hynny, ond ohonof fy hun. Mae dyn yn euog o bethau, ond yn cywilyddio amdano ei hunan.

Mae Cywilydd, a Dibyniaeth ar Gyffur ac Alcohol, yn mynd law yn llaw. Bodola'r ddau y tu ôl i furiau cedyrn, yn tyfu yno fel cancr, a thynnu'r dioddefwr i waelod duaf dyffryn ei wae.

Daw Cywilydd ar warthaf dyn ambell waith mor dawel a llechwraidd fel nad yw'n bosibl ei adnabod. Mae'n gwisgo dillad eraill yn fynych . . . atgasedd . . . difaterwch . . . yr awydd i reoli . . . iselder . . . panic . . . dryswch . . . obsesiwn gyda chyffur . . . bod yn ddideimlad . . . ymgais i ffoi . . . Cam cyntaf adferiad yw adnabod Cywilydd fel gelyn cryf a'i ddwyn i olau dydd. Mewn Cywilydd mae dyn allan o reolaeth, yn agored i bob temtasiwn alcoholaidd. Mae cywilydd yn dinistrio perthynas person ag eraill. Mae'n cau allan perthynas real â byd yr Ysbryd. Mae Cywilydd yn gwthio dyn i'r fan lle mae'n ddiymadferth, ac nid all ond ildio i goflaid cyffur.

Nid oes a wnelo Cywilydd, fel Euogrwydd, â'r ffaith fod person yn 'gwneud rhywbeth o'i le'. Mae a wnelo Cywilydd â'r teimladau hynny sy'n awgrymu i berson ei fod yn ddiwerth. A dyna'n union fy nheimlad i. Yr oeddwn yn sychedu am gydnabyddiaeth. Ar yr un pryd, ni chredwn fod ynof ddim a deilyngai hynny. Nid oeddwn o werth yn y byd i na dyn na Duw. Gwell pe cawn beidio â bod.

Nid dyma'r lle i chwilio na gosod bai am y ffaith fy mod yn y cyflwr hwnnw. Mae a wnelo fy mhlentyndod, fy magwraeth a'm personoliaeth â'r peth. Ond yr oeddwn yng ngafael yr hyn a eilw un seicolegwr yn Gywilydd Gwenwynig, a hwnnw'n lliwio pob gair a gweithred o'r eiddof. Mae fel petai person yn mynd trwy fywyd â rhyw boli parot ar ei ysgwydd, a hwnnw byth a hefyd yn siarad geiriau cywilydd yn ei glust, yn eco o ryw orffennol lle plannwyd ynddo ymdeimlad o annigonolrwydd.

Mae'r sawl sydd yng ngafael y Cywilydd Gwenwynig hwn yn treulio'i ddyddiau yn edrych dros ei ysgwydd, gan asesu'r adwaith i bob sgwrs a gweithred, i weld a yw'n dderbyniol a chanmoladwy gan eraill. Ond nid yw'n credu fod hynny'n bosibl o gwbwl. A hyd yn oed os daw clod, 'Dim ond dweud y ma' nhw!'

Ni thâl i mi bellach, ac nid oes angen i mi, fynd i ddadansoddi'r pam ac o ble y daeth hyn i'm rhan. Digon yw dweud fy mod wedi treulio blynyddoedd yn cywilyddio oblegid y modd y'm gwnaed . . . oherwydd yr hyn oeddwn. Bellach, caiff fy Nghredo Hunan-barch ddweud ym mha le y safaf . . . ac mae'r tir yn llawer mwy diogel.

Deuthum wyneb yn wyneb â'm plentyndod.
Byddai'n gywirach dweud i mi ddod wyneb yn wyneb â'm hawl i'm plentyndod. Mae'n anodd i'r sawl na phrofodd effeithiau cywilydd ac a godwyd mewn teulu 'normal' i ddeall fod rhai ohonom na chawsant fod yn blant! Ni chofiaf i mi erioed gael plentyndod, a hynny am amryw o resymau. Yn ein cartref ni, fi oedd yr un y disgwylid iddo ysgwyddo beichiau.

Nid oedd bai ar neb am hynny . . . felly y digwyddodd pethau. Llwythwyd Nhad a Mam gan yr angen i ofalu am rieni a brawd a fu'n orweiddiog yn hir. Datblygodd y drefn deuluol yn y fath fodd ag i'm gorfodi i dyfu'n ddyn yn ifanc iawn. Collais fy mhlentyndod. Gwelwn eisiau hwnnw wedi tyfu'n ddyn, ac fe dorrai'r awydd amdano drwodd mewn gwrthryfel plentynnaidd yn erbyn patrymau cymdeithas a rheolau cyd-fyw ag eraill, o fewn teulu, cymdeithas ac eglwys.

Gallwn resymoli'r cwbwl yn gyfforddus fel gwrthryfel meddyliol a chyfiawn. Ond o'm teimladau y daeth y gwrthryfel, nid o'm meddwl. Nid actau bwriadol rhesymol oedd fy mhyliau gwrthryfelgar. Fy awydd i fod yn blentyn oedd yn torri trwodd. Yr oeddwn yn enghraifft glasurol o 'Frenin Faban' Sigmund Freud! Mynnwn ddilyn mympwyon fy nheimladau, a minnau wedi eu rhesymoli'n hawliau cyfiawn. Arweiniodd hynny fi ar fy mhen i batrwm o deimladau, meddyliau ac ymarweddiad adictif.

Ar yr adegau pan dorrai'r baban yn rhydd o'i gaets chwarae, meddiannid fi gan agwedd a fynnai nad oedd neb na dim yn cyfrif ond fi a'm mympwyon a'm chwantau a'm nwydau. Fi oedd canol y byd, ac fe godai'r haul er fy mwyn i. Doedd dim ots am neb. Fe fynnwn yr hyn a ddymunwn, trwy deg neu trwy drais. Yr oeddwn yn amenio cri oesol y Brenin Faban. ''Wy i eisie hwn . . . ac 'wy eisie fe NAWR'. Ar y pryd, wrth gwrs, ac yn sicr wedi cael mynediad i Sant Joseph, ni freuddwydiwn gydnabod hyn i gyd. Wedi'r cyfan, euthum yn ŵr, a rhoddais heibio bethau bachgennaidd, on'd do? Ac ar ben hynny, bob tro yr arweinid fi'n ôl i ddyddiau cynnar fy mywyd, dôi i mi ryw deimlad atgas fy mod rywsut yn anffyddlon i goffadwriaeth Nhad a Mam, ac yn bradychu fy magwraeth. Gwrthodais rodio yn y ffyrdd hynny. Rhoddais glo ar fy meddwl a'm ceg bob tro y trafodid y pwnc annymunol. Ond daeth tridiau tyngedfennol, ac yn sicr y tridiau mwyaf poenus a dolurus hyfryd yn yr holl raglen i mi. Torrodd yr argae un bore gwyn, bythgofiadwy mewn sesiwn therapi grŵp. Torrodd yn llythrennol mewn ffrwd—nad ildiai i reswm—o ddagrau hallt melys. Ni allwn i, a fu gynt mor gryf a diemosiwn, eu rheoli. Ac ni fynnwn, chwaith.

Nid oes angen manylu ar y drafodaeth, ond effeithiodd yn ddwfn ar o leiaf ddau ohonom. Roedd ein cefndiroedd a'n problemau yn debyg iawn. Un ferch a minnau. Yn sicr fe welais fy hunan y bore hwnnw, a bu'r gweld yn boen a dolur, ac yn iachâd.

Digwydd yn sgil cyfres o fân ddigwyddiadau wnaeth y bore hwnnw. Mae pethau'n dod at ei gilydd yn ddirgel a rhyfedd yn y byd 'ma, ac ni allaf gredu mai trwy ddamwain y digwydd hynny.

Prynu cardiau yr oedd tri ohonom ar sgawt yn y dref. Yr oedd Rajiv fel arfer yn ei chael yn anodd penderfynu (effeithiodd y ddiod ar ei feddwl yn y ffordd honno). Daeth â thri cherdyn a gofyn i mi a Marienne pa un a ddewisem ni. Un cerdyn â llun plant, un â llun blodau, ac un â llun arth-tedi. Heb betruso dim, dyma ni'n dau yn dewis y cerdyn â'r arth-tedi. A dyna ddiwedd y busnes.

Y noson honno bu Marienne a minnau'n sgwrsio am

ddim a phopeth dros baned fin nos. Rywsut, trodd y sgwrs at y cerdyn arth-tedi. Dim byd dwfn, ac eithrio'r ffaith fod y tegan arbennig hwnnw'n hoff gan y ddau ohonom.

Y noson honno, methais gysgu. Ni wyddwn beth, ond yr oedd rhywbeth yn fy mhoeni. Troi a chwysu a chwyno'n hir. Ac yna fe'm trawodd, bron fel petai rhywun wedi troi golau ymlaen yn fy mhen. Ni fu gen i arth-tedi erioed. Cefais deganau 'defnyddiol', do, ddegau ohonynt. Cefais fat a phêl griced un tro, ac yr oeddynt yn drysorau. Ond ni chefais arth-tedi erioed. Cofiaf 'ddwyn' un yn perthyn i'm chwaer fach lawer tro. Ac yn awr, yn fy llawn dwf, teimlwn ryw atgasedd direswm a direol am na chawswn arth-tedi! Yr oedd y peth yn blentynnaidd a thwp.

Drannoeth, heb frecwast, euthum i'r therapi grŵp. Yr oeddwn yn dawelach nag arfer. Rywsut yr oeddwn wedi pwdu wrthyf fy hun. Yn sydyn, gofynnodd y cwnselwr:

'Beth sy, Byron? Rwyt ti'n dawel iawn.'

Wn i ddim pam, na sut, ond, yn ddirybudd, torrodd yr argae, a daeth holl atgasedd fy oes yn ymwneud â'm dyddiau cynnar yn hen ŵr o blentyn bach, yn ffrwd ddiatal o ddagrau a geiriau. Wylwn a chlebrwn yn un gymysgfa daglyd. Cyffesais fel y bu i mi 'feddiannu' arth-tedi fy chwaer fach. 'Timi' oedd enw hwnnw. Prynais, bron yn reddfol, eirth-tedi i'm plant fy hun, a mynnu bod un o'r eirth yn cael ei alw'n 'Timi'. Prynais eirth-tedi i Anne o lawer gwlad a llan. Mae'r tŷ 'ma'n llawn o'r taclau. Ond nid er mwyn neb arall y'u prynais, wrth gwrs. Eu prynu i mi fy hun yr oeddwn. Ond nid fi oedd piau'r un ohonynt.

Yn rhyfedd iawn, yn fy nyddiau duaf, yng ngafael y ddiod a'r cyffuriau, a minnau'n teimlo fod y byd i gyd wedi fy ngwrthod, ciliwn i'm hystafell wely, a chodi un o'r eirth-tedi hynny ar fy nglin, a thywalltwn fy nolur i'w glustiau parod a digwestiwn. Ef oedd fy nhad cyffes.

Y bore hwnnw, wrth i'r ffrwd barhau i lifo'n hir, daeth drosof ryw ysgafnder nad oeddwn wedi teimlo'i debyg erioed. Torrodd gwawr arnaf. Ac yn y fan a'r lle, daeth i mi'r sicrwydd y byddwn i'n iawn, nawr. Na cheisied neb reswm gennyf. Ond yr wyf yn sicr mai dyna pryd y derbyniais gyflawn amodau f'adferiad, a'r sicrwydd y cawn fy adfer. Teimlo sicrwydd a wnes. Dyna i gyd. Byddai popeth yn iawn! Wedi cinio, cyn cychwyn ar waith y prynhawn, dyma'r Prif Gwnselwr ataf (hi a lywiai'r grŵp y bore hwnnw). 'Wyt ti'n iawn?' Ei chwestiwn arferol i bob un ohonom wedi i ni fynd drwy bangfeydd emosiynol. ''Ma ti. Cymer hwn.'

Ac estynnodd i mi'r arth-tedi bach deliaf yn y byd ''Wy'n rhoi hwn, I TI. Ti piau e. Gofala amdano. Siarada ag ef.'

Ac wrth droi i fynd, meddai:

'A gyda llaw, Timi yw ei enw e. Ac un peth arall, Byron. Am o leiaf dri diwrnod, mae e i fynd gyda ti i bobman. Ble bynnag y byddi di, bydd e yno gyda ti.'

A dyna sut y bu i weinidog gyda'r Bedyddwyr a'r Presbyteriaid fod mewn offeren Babyddol ag arth-tedi yn ei gôl.

Ac mae Timi wedi profi'n gyfaill a chwnselwr da a diogel. Mae'n ffrind i'w anwesu, a chaf gydag ef fwynhau bod yn blentyn eto, dro.

Deuthum wyneb yn wyneb â'm hangen i ymlacio.

Yr oedd hynny'n allwedd bwysig i'r drws clo ar fy mhlentyndod.

Cynhaliwyd sesiynau ymlacio fel rhan ffurfiol o'r driniaeth, ac fe gynhelid sesiynau achlysurol os credai'r staff fod rhai ohonom wedi cael gormod o bwdin.

Cerddoriaeth a geiriau'n asio'n undod a gynorthwyai berson i ymollwng. Ar dro, darllenid storïau i ni o fyd plentyn, ac ar adegau eraill seiniau melys byd natur. Roedd un o'r cwnselwyr yn arbennig. Meddai ar lais ac osgo a unai'n berffaith â cherddoriaeth gefndir. Ymdawelwn yn llwyr lonydd o dan ei harweiniad hi, gan anghofio'r byd a'i boen. Digwyddodd un o'r sesiynau achlysurol ar y noson wedi prynu cardiau Rajiv, a chyn fy sgwrs â Marienne. Hi oedd ar bigau'r drain. Dyma ein galw i eistedd yn gylch agored. Datgloi'r botymau tynnaf, agor y tei a'r crys, tynnu'r sgidiau a lled-orwedd i gyfeiliant miwsig tawel digyffro a llais melfed y cwnselwr.

'Dychmygwch,' meddai, 'eich bod yn magu plentyn yn eich côl.'

A rywsut aeth y breichiau i'r union ystum, a theimlwn fy hun yn gwenu'n braf. Wn i ddim pam. Wedi rhyw bum munud, neu efallai ddeg, dyma hi'n dweud,

'Nawr, dychmygwch mai chi yw'r plentyn sy'n cael ei anwesu.'

Yr oeddwn mor rhydd o afael y byd, fel y gallwn ddychmygu unrhyw beth! A theimlais fy hun yn cael fy nghofleidio, a lledodd y wên a chynhesu. Yr un mor hawdd llifodd y dagrau, yn dawel, ond yn ddireol. Wn i ddim pam, ond felly y bu, yn baratoad ar gyfer y trannoeth syfrdanol oedd ar dorri yn fy hanes.

Rhoddwyd pwyslais ar ymlacio, a hynny o dan reolaeth fanwl. Credaf fod hynny wedi fy mharatoi a'm tymheru i ar gyfer cwrdd â'm Duw mewn modd ysgytwol. Caf ddisgrifio hynny eto, ond bu nifer o bethau 'bach' yn baratoad. Hebddynt, rwy'n sicr na fuaswn wedi cerdded ymhell ar lwybr adferiad, nac wedi dod i berthynas newydd â Duw.

Ar ddechrau bob dydd gosodem ar bapur ein

hamcanion ar gyfer y diwrnod hwnnw, a'u rhannu gyda'r grŵp. Caed tri darlleniad o wahanol lyfrau a gorffen gyda gweddi a ddaeth yn gydymaith dyddiol i mi, ac fe bery felly. Gafaelodd ynof, ac fe'i gweddïaf ar ddechrau bob dydd yn rhan o'r patrwm hwnnw o fyfyrdod rheolaidd a ddilynaf nawr ar ddechrau a diwedd bob dydd, a hynny er fy lles i ac eraill.

Dihareb Sanscrit ydyw'n wreiddiol.

> Ystyria heddiw,
> canys dy fywyd cyfan yw.
> Holl fywyd dy fyw.
> Yn ei gwrs byr daw i ti
> bopeth real a rydd ystyr i'th fod;
> gwynfyd cynnydd;
> ysblander gweithredu;
> gogoniant grym . . .
> Canys nid yw doe ond breuddwyd,
> ac yfory'n ddim ond gweledigaeth.
> Ond o fyw heddiw'n iawn,
> bydd pob ddoe yn freuddwyd o ddedwyddwch,
> a phob yfory'n weledigaeth o obaith.
> Felly ystyria di heddiw,
> a chymer ofal da ohono.

Yna caem ddeng munud o dawelwch a myfyrdod, i ystyried y diwrnod newydd hwn a ganiatawyd i ni, gan geisio cymorth pa beth bynnag oedd ein Duw, neu'n Pŵer Uwch, i'w fyw yn llawn, uniawn a sobr. Ar y cychwyn cefais y tawelwch yn llethol a bygythiol. Ni ddaeth myfyrdod ac ymlacio yn hawdd i mi erioed; ymylai'r ddau ar yr amhosibl. Ciliais rhagddynt i'r prysurdeb hwnnw sy'n osgoi edrych poenus i ddyfnderau fy modolaeth. Ond gofynnais gyngor . . . peth arall na ddeuai'n hawdd i mi!

‘Chwilia am UN peth, a chanola dy feddwl a’th lygaid ar hwnnw. Paid â symud dy olwg oddi wrtho, a threia rwystro meddyliau eraill rhag dod i’th ymwybod. Gei di weld, fe ddaw amser pan y gelli daflu’r ffon fagl honno i ffwrdd. Ond am y tro, mynn un i bwyso arni.’

Ac fe gefais hyd i un. Derwen fawr y gallwn ei gweld ym mhen draw’r ardd. Hen goeden braf a fu’n cysgodi’r fan ers degawdau hir, gan herio llawer storm. Roedd rhywbeth yn ei chadernid a’i siâp a lefarai wrthyf am hyder a nerth. Mynnais fod yn yr union sedd bob bore fel y gallwn ei gweld drwy’r ffenestr. Bu’n gymorth i mi ymdawelu a myfyrio. Ac fe ddaeth y dydd pan nad oedd arnaf ei hangen. Gallwn gau fy llygaid a llonyddu’r meddwl a byw gyda mi fy hun a’m methiannau a’m rhagoriaethau. Ond bu hi’n gymorth cyfamserol, yr hen dderwen braff. Credaf mai ynddi hi y gwelais fy Nuw newydd am y tro cyntaf hefyd. Ond stori arall yw honno. A heddiw, os caf boenau’r dydd yn drech na mi a’i waeau’n anodd dygymod â hwy, chwiliaf am hen goeden yng ngwaelod fy ngardd, ac wrth syllu i’w chysgodion caf lonyddwch, a dof at fy nghoed!

Ar derfyn dydd caem gyfle i asesu’n onest sut y bu hi arnom y dydd hwnnw, a datgan wrth ein gilydd lle y bu i ni fethu a lle y bu i ni lwyddo yn ein hamcanion. Caed cyfle hefyd i ddweud wrth ein gilydd beth oedd yn digwydd yn ein teimladau, os buom yn angharedig neu’n gas, gan gyfaddef hynny, a’i adael i fynd i ddifancoll y gorffennol. Yno mae ei le.

Cael deng munud eto o dawelwch ac ymlacio. Ond yr oedd yn nos, a’r llenni wedi eu tynnu ynghyd. Ni allwn weld y dderwen.

Ond daeth sŵn yn gymorth i mi ymdawelu. Sŵn tipiadau cloc ar y mur. Dechreuais wrando arno, a chyfrif sŵn rheolaidd pob un eiliad yn pasio, nes i mi deimlo fy meddwl yn ymryddhau, a'm henaid yn colli'r tyndra hwnnw a saif rhwng dyn ac ef ei hun a rhyngddo ef a'i Dduw.

Oherwydd yr ymlacio a'r myfyrdod, rwy'n credu ei bod rywfaint yn haws imi fyw gyda mi fy hun, ac i eraill gyd-fyw â mi.

Yn sicr yr wyf yn byw yn nes at sylweddau sylfaenol bodolaeth, ac at Dduw.

Deuthum wyneb yn wyneb â galar, hefyd.

Na! Fe'm gorfodwyd yn dyner, gyda chydymdeimlad, i wynebu fy ngalar i fy hun. Yr oeddwn wedi bod wyneb yn wyneb â galar pobl eraill ar hyd fy ngyrfa broffesiynol, ac fe wynebais alar teuluol yn gynnar yn fy mywyd. Ond pan ddaeth gwir alar i mi, ni fedrwn ei wynebu, oherwydd na fynnwn ei wynebu. Na delio ag ef. Roedd yr holl atebion slic y gallwn eu gadael gyda phobl eraill i gyd yn fy meddiant, a llithrent yn hawdd dros fy ngwefusau. Buont o gymorth i lawer; mi wn fod hynny'n ffaith. Gwn i mi wneud llawer o'm gwaith bugeiliol gorau a mwyaf effeithiol wrth ymweld â phobl yn eu galar. Sefydlais batrwm i mi fy hun, patrwm oedd yn gweithio— er nad dyma'r lle i drafod hwnnw. Digon yw dweud iddo fod o gymorth i lawer wrth iddynt fynd drwy'r dyffryn hwnnw sydd mor dywyll a llawn amheuaeth ac ofn. Pwy ŵyr na ddaw rhywbeth eto ar bapur, wrth i mi weithio drwy fy ngalar fy hun, a fydd o gymorth eto i eraill . . . os caniateir i mi ddyddiau a hamdden.

Y gwir amdani, serch hynny, oedd na fynnwn wrando ar fy nghynghorion fy hun, na gweithredu fy mhatrwm fy hun. Gwrthodais wynebu fy ngalar a gwthiais ef i waelodion dyfnaf fy ymwybod, gan obeithio na ddeuai'n ôl i'm poeni. Ond nid arhosodd yno. Brigodd, dro ar ôl tro, yn hunllef boenus, na allwn wneud dim â hi, ond ceisio'i gwthio eto'n is.

Mae mor hawdd, mae'n debyg, i weinidog yn ei wisg 'swyddogol', i 'ddelio' â galar pobl eraill o fewn cwmpawd rhyw wythnos neu ddwy, ac yna symud ymlaen i 'ddelio' â rhywbeth arall a rhywun arall. Mor hawdd yr anghofiwn nad 'digwyddiad' yw galar, ond 'proses'. O'm rhan fy hun, ni symudais ond megis hanner cam ar hyd y broses honno.

Colli Nhad a Mam a modryb o fewn naw mis i'w gilydd oedd y gwraidd. Ni wynebais na derbyn eu marw, na'r galar o'u colli, na'r ymdeimlad hwnnw a wnâi imi gredu fy mod i rywsut yn gyfrifol am eu marw. Gwthiais y teimladau hynny i waelodion f'ymwybod, ac yno y buont yn mudlosgi, nes ffrwydro'n ymosodiad arnaf fi fy hun.

Gwelaf, erbyn hyn, mai ymateb iach i sefyllfa ddiflas yw galar. Mae pob colled yn arwain at alar, a rhaid i bawb fynd drwy'r broses o alaru, cyn derbyn ohonom y golled, a chyrraedd y man hwnnw lle cawn serennedd a thawelwch meddwl. Mae pob cam yn y broses yn iachusol. Nid eir drwyddynt bob amser yn y drefn y nodir hwy yma, ac ar dro daw mwy nag un cam gyda'i gilydd, i gymhlethu mwy ar ein teimladau. Bydd pobl yn mynd yn ôl a blaen, i mewn ac allan o'r camau hefyd, yn y drefn a'r amser sydd eu hangen ar bob unigolyn i gyrraedd bro serennedd. Y tu ôl i'r camau oll, mae OFN yn llechu. Ofn colli hunanreolaeth. Ofn bod yn ddi-rym oherwydd ein bod wyneb yn wyneb â rhywbeth na allwn ei reoli. Ofn y panic hwnnw sy'n codi'n dagfa yn y galon. Ofn marwolaeth ei hun, a'i rym terfynol ar fywyd daearol pob un.

Credaf fod pum cam ar y ffordd tuag at serennedd. GWADU yw'r cyntaf. Byffer seicolegol i'n hamddiffyn rhag ergydion y teimladau hynny nad ydym eto'n barod i ddelio â hwy. Naturiol yw gwadu realiti rhywbeth sy'n gas gennym. Sawl gwaith y clywyd rhywun yn dweud wrth glywed sôn am farwolaeth. 'Na. Na! Ni all fod yn wir.' Dyna'r math o wadu y soniaf amdano, a gall barhau am ychydig, neu am oes. Roedd yn rhaid i mi weithio drwyddo, nes dod i'r fan lle y gallwn ddweud, 'Mae'n ffaith. Beth fedra i ei wneud ynglŷn â'r ffaith honno?' Cefais i'r fraint o gael rhywun yn cyflwyno'r realiti i mi yn sensitif, a'm helpu i'w wynebu.

DICTER ac ATGASEDD yw'r ail. Yr un math o deimlad a ddaw i ni pan gollwn rywbeth, a methu dod o hyd iddo. Mae colli anwyliaid yn gwneud i ni FEIO, a hwnnw'n troi'n ddicter. Yn achos rhai pobl cyfeirir y bai a'r dig at Dduw. Yn f'achos i, yn gwbwl afresymol, fe'i cyfeiriwyd ataf fi fy hun. Y drafferth gyda Dicter yw ei fod bob amser yn deimlad dinistriol. Yn sicr roedd yn fy ninistrio i.

ANOBAITH ac ISELDER yw'r cam nesaf, ac yn fynych dyna'r unig emosiwn a gysylltir â galar. Ond un rhan o'r broses ydyw. Mae dagrau iselder ac anobaith, a'r ymdeimlad o wacter a ddaw wyneb yn wyneb â cholli, yn naturiol. Dyna werth yr 'arferion' sydd wrth law ar adeg marwolaeth. Datblygodd dros y cenedlaethau arferion, fel angladdau, gwasanaethau coffa, ymweliadau gan deulu a chyfeillion, sydd yn gymorth wrth gymryd y cam hwn. Amseroedd i ni ganiatáu ein dagrau a'n diflastod. Cyfle i adael i'r teimladau dyfnion hynny ddod i'r wyneb.

Mae'n rhaid i'r ymdeimlad o anobaith gael llais, onide fe fydd yn dagfa fewnol sy'n dinistrio, ac yn troi'n iselder ysbryd clinigol. Gall hwnnw, fel yn f'achos i, arwain at lithro ymhellach i lawr ar lwybr dibyniaeth ar gyffur ac alcohol.

BARGEINIO yw'r cam nesaf. Ymgais orffwyll i gadw'r sefyllfa o dan ein rheolaeth ni. Ond ein cadw rhag wynebu realiti a wna. Gall pobl gredu, dim ond iddynt hwy wneud rhywbeth, addo rhywbeth, y bydd rhyw ddewin yn newid y sefyllfa, ac fe fydd realiti marwolaeth yn cilio. Gall hwn hefyd ddinistrio, gan na wyneba ffeithiau byw a marw.

Y cam olaf yw DERBYN a CHYDNABOD: pen draw'r broses. Dyma fro serennedd. Down i gydnabod fod marwolaeth yn ffaith, a bod colled wedi dod i'n rhan. Cydnabyddwn ein bod yn ddi-rym i newid dim ar y sefyllfa. Derbyniwn fod un rhan o'n bywydau wedi dod i'w derfyn, a'n dyled iddo yw mynd ymlaen â gweddill ein bywydau. Down wyneb yn wyneb â realiti. Down i delerau â marwolaeth, ac â cholli anwyliaid. A rhywle yn y fan honno y daw i ni'r serennedd arbennig hwnnw all dderbyn yr hyn na allwn ei newid. Yno'n rhywle hefyd y gwelwn mai'r unig gyffur sy'n difa OFN yw FFYDD. Ffydd mewn Duw, neu Bŵer Uwch, ond yn fwy na dim arall, Ffydd y bydd popeth yn iawn, ac nad oes dim i'w ofni.

I mi, fel Cristion, daw'r wybodaeth honno o wybod fod Duw yn ei Nefoedd. Am hynny, mae popeth yn dda ar y byd, er garwed pob storm a phob brwydr enbyd.

Yn Sant Joseph hefyd y deuthum wyneb yn wyneb â'm Duw i.

Rwy'n pwysleisio, 'Â'M DUW I'.

Ac fe'm gwasgodd nes fy mod ar fy ngliniau ger ei fron, mewn edifeirwch a diolch, ac mewn ffordd fwy real nag a feddyliais oedd yn bosibl i mi.

Fe fu'r Ail Gam yn y driniaeth, sef cydnabod fy mod yn credu mewn PŴER UWCH na fi fy hun, ac yn ei allu i'm hadfer rhag f'ynfydrwydd, yn un anodd iawn i mi.

Wedi'r cyfan, roeddwn yn weinidog yr Efengyl. *Wrth gwrs* fy mod yn credu yn Nuw! On'd oeddwn i?

Y gwir amdani yw fy mod yn credu mewn Duw, y plannwyd y syniad ohono ynof, o'r bru! Credwn ynddo, ond nid oeddwn yn siŵr ohono! A hynny am fy mod yn gallu dethol yr hyn y dymunwn ei gredu ar unrhyw adeg. Os oeddwn mewn cwmni 'academaidd', gallwn ddyfynnu'n hawdd y profion traddodiadol fod yna Dduw. Os oeddwn mewn cwmni yn ymwneud â gwaith cymdeithasol yr eglwys, hawdd oedd gennyf fod yn lladmerydd i'r Duw gwasanaethgar ac aberthol. Pan oeddwn gyda'm pobl yn eu 'bugeilio', galwn y Duw sy'n fugail gofalus, nerthol, deallgar o'm plaid. Pan weithiwn i Gymdeithas y Beibl, pwysleisiwn Dduw'r geiriau a'r llyfr. Ac ym mlynyddoedd olaf fy nghaethiwed, bu fy mhwyslais i gyd ar y Duw cyfiawn, sy'n barnu'n ôl rheolau gosodedig, yn unol â chanllawiau nad oeddynt yn dderbyniol gennyf fi.

Ar hyd yr amser roeddwn yn holi cwestiynau. Nid wyf edifar am hynny; fe wnaeth gwell proffwydi na mi yr un gwaith. Yr oeddwn yn chwilio am atebion, am eglurhad. Beth oedd o'i le ar hynny? Gwrthodais Dduw yn Ei gyfanrwydd. Dewisais y rhannau hynny ohono oedd yn fy siwtio i. Ffordd arall o ddweud fy mod yn credu â'm pen, â'm meddwl. Nid oeddwn yn YMDDIRIED â'm calon. A dyna'r peth mawr a ddigwyddodd i mi yn Sant Joseph: TEIMLAIS fy Ffydd.

Fe ddylwn, wrth gwrs, fel Cymro, fod wedi sylweddoli fod FFYDD ac YMDDIRIEDAETH yn frodyr. Gan fy mod yn ddewisol ynglŷn â'm Duw, fe allwn ei feio am fy nghyflwr. 'Os yw Duw yn gariad, pa fodd y gall ganiatáu i mi, sy'n ceisio ei wasanaethu, fod yn y picil hwn? Nid yw'n Dduw teg!' Ffordd gyfleus o gyflwyno'r cyfrifoldeb i rywun arall, a pho bellaf yr oedd hwnnw, gorau oll.

Duw pell oedd yr eiddof. Duw yn fy meddwl; (Duw, neu dduwiau, mewn blychau cyfleus y gallwn i eu hagor a'u cau, yn ôl fy mympwy).

Wn i ddim pa bryd, ond yn rhywle ar y ffordd hon i gwrdd â'm Duw, deallais mai fy syniad i am Dduw oedd o'i le. Roedd gen i Dduw y gallwn ei reoli. Yr oedd yn rhy fach. Mor fach fel ei fod wedi ei gyfyngu gan f'ymennydd bach i!

Y gwir yw mai darlun a drych ohonof FI oedd fy Nuw. Ni wn yn iawn pryd na pham . . . ond daeth i mi ryw bethau nad oes gen i enw arall iddynt ond 'Datguddiad'. Bu symbolau'n bwysig i mi erioed, a hynny'n boen i'm cyd-Fedyddwyr cydwybodol. Ymddiheuraf iddynt hwy os dof yn ôl atynt a mwy o symbolau eto. Ond mae'r symbolau hynny'n gymorth i mi.

Y symbol gyntaf oedd carreg. Fe'i gwelais wrth gerdded i'r dref. Tynnodd rhywbeth fi ati—ei siâp? Ei lliw? Wn i ddim. Bu'n glawio. Carreg oer a gwlyb y gwelais ynddi . . . yn llyfn ar un ochr a garw ar y llall . . .

Synhwyrais fod yma ddarlun o'm bywyd. Aed â hi yn ôl i'm ystafell, a'i golchi. A gwelais fwy o ryfeddodau ynddi . . . anifail . . . pysgodyn . . . bywyd ei hun. Mae hi gennyf o hyd am ei bod, rywsut, yn arwydd i mi fod Duw yn Ei fyd . . . hyd yn oed yn y dianadl!

Mae a fynno'r eilbeth â'm derwen. Rhyw grwydro yr oedd tri ohonom ar fore Sul wedi brecwast, cyn mynd i'r Offeren. Ar ddamwain, cerddem heibio fy nerwen i. Gafaelais mewn deilen na syrthiodd eto. Deilen grin. Ond deilen. Ni allaf ddisgrifio'r teimlad na diffinio'r hyn a aeth drwy fy meddwl ac nid oes arnaf awydd gwneud hynny. Ond rywsut, wrth afael yn y ddeilen honno, teimlwn fy mod yn cyffwrdd â Duw ei hun. Ie, deilen . . . natur . . . a DUW.

Daeth i mi un o'r munudau hynny o olau . . . nid yn

unig yn f'oedfaon, a'm capeli, a'm heglwysi . . . nid yn unig yn fy llyfr a'm gwasanaeth cymdeithasol a chenhadol yr oedd Duw. Yr oedd yma . . . gyda mi . . . mewn deilen a choeden . . . Gallwn ei deimlo a'i gyffwrdd, unrhyw amser. Dywedodd rhywun: 'Mae'n amser mynd tua'r Offeren . . .' a dywedodd rhyw ddewin ynof: 'Pam y dylwn i? Mae Duw yma.'

Ond mynd a wneuthum â deilen yn fy llaw. Oherwydd yr oedd fy Nuw yn y ddeilen a'r goeden a'r capel. A rhywfodd ni allwn reoli'r Duw hwnnw. Roedd yn fwy na mi, ac yn fwy na dim y gallwn freuddwydio amdano. Mwy na fi . . . mwy na'm cefndir . . . mwy na'm haddysg . . . mwy na'r goeden.

Wn i ddim yn iawn . . . nid wyf yn ddigon o ddiwinydd systematig, ond mae hyn yn agos iawn at rai pethau y cyfeiriwyd atynt gan y Dr John Robinson, y gwaharddodd Prifysgol Cymru i mi wneud ymchwil arno, sbel yn ôl. A hynny oherwydd dylanwad un athro, a'i ragfarn.

A wyf yn credu yn Nuw? Ydwyf, yn sicr. A wyf yn credu yn y Duw uniongred hwnnw sydd yng nghredoau'r eglwysi? Wn i ddim . . . ac nid wyf yn malio llawer chwaith. Fe wn i hyn. Credaf yn y Duw hwnnw a ddaeth i'm cyfarfod yn yr ardd, a'i fod gyda mi bob dydd ac awr. Credaf yn y Duw a ddatguddiodd ei hun I MI, YN IESU GRIST, ac a ddatguddiodd ei hun i mi mewn modd arbennig, annisgrifiadwy, MEWN COEDEN, DEILEN A CHARREG.

Trwy ddirgel ffyrdd, darllenwn gyfrol Robert Van de Weyer, *Celtic Fire*, tra oeddwn yn Sant Joseph, ac awgrymais i eraill ei ddarllen. Ynddo dyfynna'r awdur eiriau o Lyfr Du Caerfyrddin ac nid oes gennyf well geiriau na hwy am yr hyn a'm cyffyrddodd i.

Dyma fy fersiwn i, er gwell neu er gwaeth. Mae'n golygu llawer i mi.

DUW

Myfi yw'r awel sy'n anadlu ar y môr.
Myfi yw'r don yn y môr.
Myfi yw siffrwd y dail.
Myfi yw pelydrau'r haul;
Myfi yw llewyrch y lloer a'r sêr.
Myfi yw'r grym sydd yn y coed wrth dyfu.
Myfi yw'r blagur pan dyr yn flodeuyn.
Myfi yw symudiad y pysgodyn.
Myfi yw grym y twrch pan ladd.
Myfi yw cyflymder yr hydd.
Myfi yw nerth yr ych wrth i'r swch dorri i'r ddaear.
Myfi yw nerth y dderwen braff.
Myfi yw natur popeth sydd,
a meddyliau pob peth byw,
y rhai a ganmolant fy enw.

Hwnnw, y Duw a ddaeth ataf yn ddiarwybod i mi, a'r Duw a gyffyrddodd â'm calon, yw'r un Duw a welaf yn Iesu Grist ac yn yr eglwys, a'i sagrafennau.

Y gwahaniaeth? Mae'r Duw hwnnw bellach yn byw yn fy nghalon, ac nid yn unig yn fy meddwl. Gweithred olaf fy arhosiad yn Sant Joseph oedd ysgrifennu allan, a'i binio ar fur yr ystafell gyffredin, fy NGHREDO.

Nid oes arnaf gywilydd ei ailadrodd yma, boed 'uniongred' ai peidio.

CREDAF . . . yn Nuw fel y mae wedi ei egluro'i hun i mi. Credaf Ei fod ym mhob peth, ym mhob person ac ym mhob man, ac ynof fi.

CREDAF . . . mewn Natur, fel datganiad o bopeth sydd yn dda, yn iawn a glân. Credaf yn iawnder natur, sy'n real.

CREDAF . . . mewn pobl fel y maent, heb eu barnu a heb angen eu beirniadu.

CREDAF . . . yn f'afiechyd, ac yng ngrym alcohol a chyffur. Credaf yn eu gallu i'm meddiannu eto, os caniatâf iddynt.

CREDAF . . . y bydd fy mywyd yn ddireol eto, heb nerth Duw a'm penderfyniad i gadw'r gelynion draw.

CREDAF . . . yn yr HEN FI, nad oedd yn dda i mi na chennyf fi. Nid yw'n dda i mi nawr, nag i neb arall.

CREDAF . . . yn f'adferiad, a'm penderfyniad i wneud popeth o fewn fy ngallu i'w ddiogelu.

CREDAF . . . ynof fi fy hun, fel yr wyf, ac yn y fan lle'r wyf, gan wybod nad wyf yn berffaith. Ond fel yr wyf, credaf ynof fi a'm gwerth.

CREDAF . . . mewn bywyd, fel ag y mae i mi nawr, ac fel y mynn Duw iddo ddatblygu, os mynn iddo barhau.

CREDAF . . . yn heddiw. Aeth ddoe ac echdoe heibio. Ni anwyd yfory na thrannoeth. Y mae heddiw, yn awr, yma, yn ffaith. Derbyniaf ef yn rhodd rhyfeddol i'w ddefnyddio, fel ag y mae.

CREDAF . . . yng nghymdeithas fy nghyd-ddioddefwyr, a'r cymorth a gaf ynddi. Credaf yn fy mhenderfyniad i geisio gofyn am gymorth pan fo'i angen arnaf.

CREDAF . . . mewn gobaith. Hebddo fe dderfydd amdanaf.

CREDAF . . . mewn daioni, ac yn fy nheimladau da a glân. Ar y llwybr hwnnw y daw dedwyddwch.

CREDAF . . . yn yr eglwys, fel corff gweledig Crist a Duw, yn estyn dwylo mewn gwahoddiad ac ymgeledd grasol.

CREDAF . . . yn Iesu Grist, yn bresenoldeb byw yn fy mywyd, yn amddiffynnydd ac yn gyd-deithiwr ar bob rhan o siwrnai seithug fy modolaeth.

Deuthum wyneb yn wyneb â'r ffaith fy mod yn glaf. Yn yr wybodaeth honno, cefais ryddhad a gobaith. Nid person drwg oeddwn i, na hyd yn oed berson gwan. Nid un i'w farnu na'i gondemnio, fel y bûm yn ei wneud, ac y credwn fod eraill yn ei wneud. Un i dosturio wrtho, a'i bitïo, efallai. Un i gadw draw rhagddo, o bosibl, ond nid person drwg na gwan. Ffŵl, ar brydiau, yn ei feddwdod. Ynfytyn hurt ar dro, o dan ddylanwad cyffur. Ond o dan y cwbwl, gwelais fod afiechyd marwol wedi gafael ynof. YR OEDDWN YN GLAF HYD AT ANGAU. Na, mae dweud hynny'n anghywir hefyd, oherwydd YR WYF yn glaf hyd at angau. Nid oes iachâd o'r afiechyd hwn. Mae'n lladd. Ac nid oes gwella rhag y niwed a wnaeth eisoes. Atal y clefyd rhag gwaethygu, dyna i gyd fedrir ei wneud. Yr unig ffordd i mi wneud hynny yw cadw'n rhydd rhag alcohol a chyffuriau.

Erbyn hyn daeth mwy o wybodaeth am yr afiechyd. Mae alcoholiaid heb rywbeth yn eu cyrff sy'n caniatáu i'r drwg sydd yn yr alcohol adael y corff. Mae'n troi yn wenwyn o'u mewn. Un canlyniad yw fod yn rhaid i'r corff a'r meddwl gael rhyw lefel o alcohol yn y gwaed, er mwyn gweithredu o gwbwl. Rhaid 'topio i fyny', er mwyn bodoli!

Canlyniad arall yw iselder ysbryd. Mae alcohol yn creu iselder ysbryd, a hwnnw'n ddeifiol hyd at hunanladdiad cyn bo hir. Mae'n wir y gall y gwydraid neu ddau cyntaf godi'r galon a llonni'r enaid rywbryd yn ôl yn nechreuadau'r caethiwed. Dyna ran o'r twyll. Oherwydd mae'r gwydraid nesaf yn peri diflastod affwysol. Mae person, yn ei ynfydrwydd, yn credu y gall wella hwnnw trwy yfed rhagor a rhagor o ddiod, a hynny'n ei dro yn arwain at gaethiwed ac ynfydrwydd.

Afiechyd ynfyd ydyw, wrth gwrs. Nid fod dyn yn gwallgofi'n llythrennol, er i hynny ddigwydd i lawer, a hwythau wedi eu llethu gan yr anobaith a'r digalondid a'r iselder eithaf hwnnw a ddaw i bawb rywbryd ar lwybr yr afiechyd hwn. Yn hytrach, mae person o dan lywodraeth alcohol yn colli rheolaeth arno'i hunan. Mae'n gweithredu, yn meddwl ac yn byw'n wahanol i'w arfer normal. Ac fe gred mai ef sy'n iawn, a bod pawb arall yn wallgof. Yn y cyflwr hwn fe wna ac fe ddywed bethau na fyddai'n breuddwydio eu cyflawni na'u dweud petai o dan ei reolaeth ei hun. Mae'n gaeth, yn gwbwl gaeth, i rym y mae'n ei gasáu, ac yn dymuno ymryddhau ohono. Ond ni all. Ac ni all wneud hynny oherwydd fod un rhan fach o'i anatomi yn methu.

Y theori fwyaf dderbyniol gan arbenigwyr heddiw yw honno'n ymwneud â TIQ (Tetrahydroisoquinolin). Ffurfir TIQ pan fo un o 'gysylltwyr' nerfau'r ymennydd yn dod i gysylltiad â chynnyrch alcohol. Y canlyniad, heb fanylu mewn maes dieithr i mi, yw fod Dopamine ac Acetaldehyde yn cyduno yn yr ymennydd, gan ffurfio TIQ. Mae'r TIQ yn 'dderbynnydd' cyffuriau teulu opiwm, yn enwedig heroin. Golyga hyn fod alcohol, yn ymennydd yr alcoholig (ac nid yn ymennydd pobl normal a all yfed a'i gadael hi ar wydraid neu ddau), oherwydd adwaith gemegol, yn cael yr un effaith ar berson â morffin a heroin. Dangoswyd y gellir troi llygod sy'n ymatal yn reddfol rhag fodca pur yn eu dysglau yfed yn alcoholiaid mewn eiliadau wedi chwistrell o TIQ.

Mae tystiolaeth hefyd fod gan alcoholiaeth elfen 'deuluol'. Nid bod yr afiechyd ei hun yn 'rhedeg mewn teuluoedd' ond fod *tueddiad tuag ato yn rhedeg mewn teuluoedd*. Rhan o hunanasesiad pawb ar y cwrs triniaeth oedd paratoi 'coeden deuluol', gan fynd yn ôl mor bell ag y byddai'r cof yn caniatáu. Gyda'r grŵp a'r Cwnselwyr, aed drwyddi gan nodi aelodau o'r teulu y gellid gweld ynddynt arwyddion neu dystiolaeth o'u tueddiad at alcoholiaeth. Cystal cyfaddef i mi gael agoriad llygad, ac nid ychydig o ddychryn, o'm hachau i ar y ddwy ochr. Peth arall sy'n peri dychryn mawr i mi, ac fe gollais lawer o gwsg o'i blegid, yw tuedd yr afiechyd i 'neidio cenhedlaeth'. Awgryma hynny na fydd yn ei ddangos ei hunan ym mhlant yr alcoholig, ond y gall sleifio'n ddirybudd i'r genhedlaeth nesaf. Os nad yw'r peryglon yn amlwg i'r teulu, gall yr effeithiau fod yn erchyll.

Mae canlyniadau eraill,wrth gwrs. Soniais eisoes am y gwallgofrwydd a'r hunan-ladd a ddaw gydag alcohol. Mae nifer fawr o ddamweiniau y gellir eu gosod yn sgwâr wrth ddrws alcohol, hefyd. Damweiniau yn y cartref, yn y gwaith, ar y stryd, heb sôn am ddamweiniau ar y ffordd—i fodurwyr, beicwyr ifanc, a cherddwyr, diniwed a meddw.

Gall achosi afiechydon eraill, neu fod yn ffactor yn eu hachosi. Yn amlwg yn eu plith y mae afiechydon y galon, pwysedd gwaed uchel, y clefyd siwgwr a chancr. Gŵyr pawb am yr effeithiau ar yr iau a'r arennau, a'r marw erchyll a ddaw drwy cirrhosis. Mae yfed alcohol hefyd yn difa celloedd yr ymennydd, ac ni ellir eu hadfer.

Derbyniais yn gynnar yn y driniaeth fy mod yn gaeth i'r cyffur mileinig hwn, a'i fod yn drech na mi. Alcohol yw'r meistr. Mae hynny'n dal yn ffaith, ac y mae'n rhaid i mi f'atgoffa fy hun o'r ffaith honno'n ddyddiol, ac ar dro yn amlach na hynny! Bydd yn rhaid i mi wneud hynny am weddill fy oes. Nid wedi cael gwellhad yr wyf; yn hytrach rwyf 'mewn adferiad'. Parhâf yn yr adferiad hwnnw tra 'mod i'n cadw'n rhydd rhag alcohol. Ni allaf fforddio ei adael yn ôl i'm bywyd. Y gwahaniaeth rhwng heddiw a ddoe yw fod gennyf

DDEWIS. Nid oedd i mi ddewis cynt. Gafaelwyd ynof mor llwyr gan elyn cryf oedd â'i fryd ar fy lladd. Denai er mwyn difetha. Ddoe ni allwn fyw os nad yfwn alcohol, ac fe berswadiodd fi na allwn fod hebddo. Byddai bywyd yn dod i ben hebddo. Heddiw mae gennyf ddewis . . . dewis rhwng yfed alcohol a gwrthod ei yfed. Os dewisaf yr ail, caf fyw yn iachach. Os dewisaf y cyntaf, nid wyf ond ffŵl ynfyd, na haedda ddim ond y diwedd sydd mor amlwg yn fy nisgwyl. Nid aeth y gelyn i ffwrdd. Nid â i ffwrdd. Mae'n rhan o'n cymdeithas, yno ar bob cornel ac mewn pob math o sefydliad. Gwn fod llaw y temtiwr yno i'm gwahodd, a'i anadl ar fy ngwar. Ond FI piau'r dewis heddiw, nid ef. Ac i nerthu'm dewis mae gen i rwydwaith o gymorth . . . yn deulu, yn gyfeillion, yn eglwysi, yn gwnselwyr, yn feddygon, ac yn gyd-ddioddefwyr. Os caf broblem gyda'm dewis, ni raid i mi ond codi'r ffôn i ofyn am help, ac fe ddaw.

Fe ddygais gyda mi o Sant Joseph 'becyn cymorth cyntaf'. Pecyn o offer i'm helpu yn y dyddiau pan deimlaf anadl y temtiwr ar fy ngwar ydyw. Mae'n gweithio, un diwrnod ar y tro.

Ni fydd i mi fyth wellhad llwyr. Ond mae gennyf yn fy meddiant dechnegau, offer a chymorth o'r tu allan i mi, mewn pobl ac yn yr Un a alwaf fi yn Dduw, i'm cynorthwyo yn y frwydr â'r gelyn a'm daliodd gynt yn ei rwyd.

Ymdynghedais i 'weithio'r rhaglen' a roddwyd i mi yn Sant Joseph. Rhoddodd i mi flas newydd ar fyw, a'r awydd i rodio mewn llawenydd gonest, un dydd ar y tro.

Dyna'r cyfan y gallaf fod yn siŵr ohono—heddiw. Daw i mi yfory, os mynn Duw. Yn y goncwest ar bob heddiw y rhodiaf yn obeithiol i unrhyw yfory a roddir i mi. Diolchaf am heddiw, am yr hyn sydd, NAWR. I mi, bonws yw pob heddiw. Gobeithiaf gael llawer ohonynt wrth rodio'n llwybr rhaglen f'adferiad. Os collaf y ffordd, y mae'n sicr yr af eto'n ysglyfaeth i'r afiechyd marwol sydd arnaf.

Bûm yn ffodus . . . yn ffodus y tu hwnt i'm haeddiant. Ni adawyd ynof sgil-effeithiau sy'n rhy ddifrifol. Ydy, mae pwysedd fy ngwaed yn rhy uchel; mae gennyf broblem gyda'm hymysgaroedd. Niweidiais ddigon o gelloedd f'ymennydd i amharu ar fy nghof amser-byr, ond rwy'n gweithio ar hynny. Bûm yn ffodus iawn.

Gwelais y cyfan y gallwn fod wedi ei golli. Gallwn fod wedi colli popeth. Gwelais bopeth yn fy mywyd yn diflannu drwy fy mysedd fel tywod sych. Edrychais i waelodion Uffern . . . a chefais fyw.

Nid oes i mi ond testun cân! Dyna'r rheswm pam y gweddïaf bob dydd, yn ddi-ffael, fel rhan o'm myfyrdod dyddiol, eiriau'r weddi honno a ddefnyddid ar derfyn pob sesiwn yn Sant Joseph:

> 'Arglwydd, caniatâ i mi'r tawelwch siriol
> i dderbyn y pethau na fedraf eu newid;
> y gwroldeb i newid y pethau a fedraf;
> a'r doethineb i wybod y gwahaniaeth.'

Na ato Duw i mi anghofio'r geiriau hynny. Mae'r anghenfil wrth fy nrws, yn disgwyl am ei brae.

ÔL-NODYN

Wedi'r driniaeth yng nghanolfan Sant Joseph, meddyliais y byddai popeth yn iawn, bellach. Credai llawer o bobl eraill hynny, hefyd, gan gynnwys fy nheulu. Ac am ychydig fisoedd, felly y bu. Ond gyda'r wybodaeth honno na ddaw ond wrth edrych yn ôl, gwelaf i mi wneud dau gamgymeriad mawr.

Y cyntaf oedd credu y gallwn ddal i goncro'r gelyn hwn, ddydd wrth ddydd, ar fy mhen fy hun, heb gymorth yr un dyn, ac yn wir, er i mi gael golwg newydd arno, heb gymorth Duw hefyd. Syrthiais yn ôl i'r rhigol feddyliol honno a wnâi imi gredu mai fi oedd arglwydd fy ffawd a rheolwr fy nhynged. Ymaflodd yr hen ryfyg ynof drachefn.

Yr ail oedd gor-hyder. Mae'r clefyd hwn yn meddu ar y ddawn i hudo a thwyllo dyn, a'i berswadio fod popeth yn iawn, yn enwedig pan na fydd. Wedi'r cyfan, bûm dan driniaeth dda a thrwyadl, cefais sylw manwl ac agos arbenigwyr, deellais fy nghyflwr, yr oedd canlyniadau'r afiechyd yn hysbys i mi, ac wrth gwrs y gallwn ddelio â'r peth! Yr oedd gennyf yr holl arfogaeth. Byddai pob peth yn iawn bellach.

Mae'n debyg mai'r gwir amdani yw na suddodd yn llwyr i'm hymwybod y ffaith fy mod yn dioddef o afiechyd marwol a chreulon, ac nad oes iddo wellhad. Ac ni'm perswadiwyd yn llwyr (mor werthfawr yw edrych yn ôl!) ei bod yn amhosibl i mi reoli'r afiechyd hwnnw. Symudwyd mân greigiau ym mynydd fy nacâd —dim mwy na hynny. Yr oedd yn rhaid wrth beiriannau cryfach a chreulonach i symud y mynydd i gyd. Daethant hwy at eu gwaith yn fuan, diolch byth.

Disgrifiodd rhywun yr afiechyd hwn fel Llewpart, ac y mae'n ddisgrifiad da. Bu'n stelcian yn dawel ac amyneddgar yn y llwyni hynny o gwmpas f'emosiynau a'm meddwl. Yr oedd mor dawel a sicr ohono'i hun fel na sylweddolais ei fod yno o hyd. Ac ymhen ychydig fisoedd, a minnau'n teimlo'n ddiogel yn fy sobrwydd braf, a strwythur fy mywyd yn dychwelyd, a'm perthynas â'm teulu a'm ffrindiau yn gwella a melysu, *neidiodd*, a'm dal eto â phawen gryfach nag erioed.

Y tro hwn, daeth yn agos at fy llarpio'n gyfan. Gwelais bopeth a garwn ac y gweithiwn ar ei gyfer, ac y bûm byw er ei fwyn, yn diflannu a llithro o'm gafael i'r nos. Ac nid oedd dim y medrwn ei wneud i ddelio â'r sefyllfa, a rhwystro'r difodiant. Yn wir, nid oedd dim y dymunwn ei wneud. Yr unig beth oedd yn cyfrif oedd bodloni'r nwyd am y ddiod a ddug anghofrwydd a diddymdra.

Byddai'n dda gennyf allu dadansoddi beth achosodd i mi ailafael yn y ddiod. Fedra i ddim. Wn i ddim. Ni ŵyr neb. Dyma natur yr afiechyd a greddf yr alcoholig. Fe wn pryd y digwyddodd, ond nid yw gwybod hynny'n gymorth i'r deall. Yr unig beth a wn i sicrwydd yw iddo ddigwydd ac i mi golli cariad, hyder a pharch fy mhlant, ffrindiau, aelodau a chymdogion. Gwelais fy ngwraig ar fin gadael y cartref a adeiladwyd gennym ein dau, ac a garai, hyd nes i'r ddiod greu'r ofn parlysol a'r amheuaeth digalon sy'n difa serch. Hedfanodd fy hunan-barch i ebargofiant. Yr oeddwn yn casáu pawb a phopeth, yn enwedig fy hunan.

Penderfynais, gyda chymorth fy ngwraig a'r ychydig ffrindiau a ddaliai'n ffyddlon, fod yn rhaid i mi gael triniaeth bellach.

I mewn â mi, wedi gwneud y trefniadau i gyd fy hunan, i ganolfan Galsworthy yn Ysbyty'r Priordy, gerllaw Roehampton. Mae'r ganolfan yn y tŷ lle trigai awdur *The Forsyte Saga* gynt, petai hynny o bwys. Lleolir yr ysbyty mewn llain dawel o'r wlad rhwng Parc

Richmond a Pharc Rosslyn, lle hudol a thawel, a'i hedd yn gwatwar y cynnwrf mewnol emosiynol creulon a chignoeth oedd o'm blaen. Cyrhaeddais yno ganol Gorffennaf 1996 am 28 niwrnod, yn anymwybodol o'm hamgylchfyd, a heb boeni am ddim na neb, na dymuniad am ddim ond naill ai gwellhad neu farwolaeth. Yr oeddwn yn ôl yn yr union gyflwr y bûm ynddo tua blwyddyn ynghynt, a chyrhaeddais y cyflwr hwnnw mewn ychydig wythnosau. Ni chredwn cyn hynny fod y sawl a ddywedodd mai afiechyd cynyddol di-droi'n-ôl yw hwn yn dweud y gwir.

Tebyg oedd hanfod y driniaeth, yn seiliedig ar yr un model â Sant Joseph. Serch hynny, fe drodd allan i fod yn llawer mwy didrugaredd, creulon a thrwyadl. Dibynnai'n drwm ar therapi grŵp, ac nid oedd modd celu na chuddio dim oddi wrth bobl oedd yn yr un cyflwr â mi. Ofer pob ymgais at wyngalchu, a dibwrpas ceisio tynnu llenni dros y gwir na thaflu llwch i lygaid neb o'r rhain. Gwelwyd fi, ac fe'm gwelais fy hun fel yr oeddwn, ac yn bwysicach, fel y gallwn fod.

Yr oedd tua deunaw ohonom yn y grŵp, a phob un o gefndir 'Proffesiynol'. Clymwyd ni ynghyd gan ein dibyniaeth ar alcohol neu gyffuriau, yn gymdeithas o gyd-ddioddefwyr.

Llwyddais i greu perthynas dda â rhyw hanner dwsin, er i mi lwyddo i 'ddod ymlaen' â phob un ohonynt. Yr oedd John, offeiriad Pabyddol, a minnau'n rhannu'r un cefndir a phroblemau, ac fe dynnodd hynny ni at ein gilydd. Yr oedd dau 'hanner Cymro' hefyd y bu'r berthynas yn dda rhyngom, Thomas a Paul. Barnwr yn yr Uchel Lys oedd Brian, ac yr oedd ein diddordebau llenyddol yn ein tynnu at ein gilydd. Rhyw berthynas 'tad a mab' a dynnodd Jack a mi yn nes, er bod tebygrwydd personoliaeth yn cyfrif hefyd. Crwt un ar hugain oed ydyw, sydd, mi gredaf, ar drywydd iachâd, ac yn cael triniaeth bellach i'w ryddhau o afael heroin. Yr oedd William wedi bod dan driniaeth rhyw bump o weithiau a'i fywyd brith wedi ei arwain o swydd bwysig ym myd adeiladu moduron, trwy dor-priodas ac unigrwydd, i gartref mewn bocs carbord dan bont Waterloo yn Llundain. Mae'n gymeriad annwyl, tua'r un oed â mi. Peilot awyrennau yw Harry, ac er mawr yr hwyl diolchgar fod hedfan awyren yn dibynnu mwy ar beilot otomatig na llaw ddynol, ffitiodd yntau hefyd i'r cylch llai hwnnw y gwerthfawrogaf ei gefnogaeth a'i hiwmor mewn tywydd garw.

Cefais lawer o gymorth a chariad. Ategwyd a haearnwyd yr hyn a ddysgais yn Sant Joseph, a rhwng y ddau le a'r ddwy lefel o driniaeth, Sant Joseph a'i bwyslais tyner, mwy ysbrydol, a Galsworthy a'i driniaeth cignoeth, torri-i'r-byw, realistig a difaldod, rhoddwyd i mi obaith y gallai pethau ddod yn well.

Bellach rwy'n ôl wrth fy ngwaith, trwy drugaredd eglwysi o Gristnogion aeddfed, yn ôl ar f'aelwyd trwy drugaredd gwraig o anwyldeb mwy na'm haeddiant, yn ôl yn rhan o'm teulu trwy drugaredd plant sy'n wŷr a gwragedd parod i ailadnabod tad, ac yn ôl yng nghwlwm cyfeillgarwch ffrindiau, trwy eu trugaredd deallus.

Fe adeiladwyd muriau cedyrn o'm hamgylch i geisio cadw'r gelyn draw. Caf gymdeithas cyd-ddioddefwyr sy'n deall fy nghyflwr, nodded a chymorth ffrindiau, a chefnogaeth anogaethol fy nheulu. Bu gosod geiriau yn wisg ar yr hanes hwn yn gymorth ynddo'i hun, ac yn atgof poenus am y lle y bûm ynddo. Nid yw fy mywyd heb betruster, serch hynny. Gwn hefyd fod anadl y bwystfil i'w glywed wrth y drws; nid yw ymhell i ffwrdd. Ond yn nerth Duw, a chyda cymorth dyn, brwydraf bob dydd, gan gredu y gallaf, *am heddiw*, gadw'r drws ynghau.